DE
ZERO
A
UM

Peter Thiel

com BLAKE MASTERS

DE
ZERO
A
UM

O QUE APRENDER SOBRE
EMPREENDEDORISMO COM O VALE DO SILÍCIO

Tradução
Ivo Korytowski

15ª reimpressão

Grafia atualizada segundo o Acordo Ortográfico da Língua Portuguesa de 1990, que entrou em vigor no Brasil em 2009.

Título original
Zero to One

Capa
Adaptação de Barbara Estrada sobre design original de Michael Nagin

Gráficos
Rodrigo Corral Design

Ilustrações
Matt Buck

Revisão
Carolina Rodrigues
Bruno Fiuza
Eduardo Rosal

CIP-Brasil. Catalogação na fonte
Sindicato Nacional dos Editores de Livros, RJ

T366d
    Thiel, Peter
      De zero a um: O que aprender sobre empreendedorismo com o Vale do Silício / Peter Thiel; tradução Ivo Korytowski. — 1ª ed. — Rio de Janeiro: Objetiva, 2014.
    216 p.

    Tradução de: Zero to One.
    ISBN 978-85-390-0620-5

    1. Economia. 2. Empreendedorismo. I. Título.

	CDD: 330
14-16239	CDU: 330

Todos os direitos desta edição reservados à
EDITORA SCHWARCZ S.A.
Praça Floriano, 19, sala 3001 — Cinelândia
20031-050 — Rio de Janeiro — RJ
Telefone: (21) 3993-7510
www.companhiadasletras.com.br
www.blogdacompanhia.com.br
facebook.com/editoraobjetiva
instagram.com/editora_objetiva
twitter.com/edobjetiva

Sumário

DE ZERO A UM

CADA MOMENTO NOS NEGÓCIOS ocorre uma só vez. O próximo Bill Gates não criará um sistema operacional. O próximo Larry Page ou Sergey Brin não desenvolverá um mecanismo de busca. E o próximo Mark Zuckerberg não fundará uma rede social. Se você está copiando essas pessoas, não está aprendendo com elas.

Claro que é mais fácil copiar um modelo que criar algo novo. Fazer o que já sabemos leva o mundo de 1 a n, ampliando o que nos é familiar. Mas sempre que criamos algo novo, vamos de 0 a 1. O ato de criação é singular, assim como o momento da criação, e o resultado é algo original e estranho.

A não ser que invistam na difícil tarefa de criar coisas novas, as empresas norte-americanas fracassarão no futuro por maiores que sejam seus lucros hoje. O que acontece quando já ganhamos todo o possível com o ajuste fino das velhas linhas de negócio que herdamos? Por mais improvável que pareça, a resposta ameaça ser bem pior que a crise de 2008. As "melhores práticas" atuais levam a becos sem saída; os melhores caminhos são os caminhos novos e não testados.

Num mundo de enormes burocracias administrativas, tanto públicas como privadas, buscar um novo caminho pode parecer estar à espera de um milagre. Na verdade, para as empresas norte-americanas triunfarem, precisaremos de centenas, até de milhares, de milagres. Isso seria deprimente, não fosse um fato crucial: os seres humanos se distinguem das demais espécies pela capacidade de operar milagres. Chamamos esses milagres de *tecnologia*.

A tecnologia é milagrosa porque nos permite *fazer mais com menos*, levando nossas capacidades fundamentais para um nível mais alto. Outros animais são instintivamente induzidos a construir coisas como barragens ou favos de mel, mas somos os únicos capazes de inventar coisas novas e formas melhores de fazê-las. Os humanos não decidem o que construir escolhendo em algum catálogo cósmico de opções previamente apresentadas. Pelo contrário, ao criarmos novas tecnologias, reescrevemos o plano do mundo. Esses são os tipos de verdades elementares que ensinamos aos alunos do segundo ano do ensino fundamental, mas são fáceis de esquecer num mundo onde quase tudo o que fazemos é repetir o que já foi feito.

De zero a um é um livro sobre como construir empresas que criem coisas novas. Inspira-se em tudo que aprendi diretamente como cofundador do PayPal e da Palantir e depois como investidor em centenas de startups, incluindo Facebook e SpaceX. Mas, embora eu tenha observado muitos padrões e os relate aqui, este livro não oferece nenhuma fórmula para o sucesso. O paradoxo de ensinar empreendedorismo é que tal fórmula necessariamente não pode existir. Como cada inovação é original e única, nenhuma autoridade consegue prescrever em termos concretos como ser inovador. De fato, o padrão mais poderoso que observei é que pessoas bem-sucedidas acham valor em lugares inesperados, e o fazem pensando nos negócios com base em noções primitivas em vez de fórmulas.

Este livro resulta de um curso sobre startups que ministrei em Stanford, em 2012. Estudantes universitários podem se tornar extremamente hábeis em umas poucas especialidades, mas muitos jamais aprendem o que fazer com essas habilidades no mundo mais amplo. Meu objetivo básico ao ministrar o curso foi ajudar meus alunos a verem, além das trilhas abertas pelas especialidades acadêmicas, o futuro mais vasto que lhes cabe criar. Um desses estudantes, Blake Masters, tomou notas detalhadas, que circularam bem além do campus, e em *De zero a um* trabalhei com ele revisando as anotações para que o texto atingisse um público maior. Não há razão para o futuro acontecer apenas em Stanford, ou na faculdade, ou no Vale do Silício.

1

O DESAFIO
DO FUTURO

S EMPRE QUE REALIZO uma entrevista de emprego, gosto de fazer esta pergunta: "Sobre que verdade importante pouquíssimas pessoas concordam com você?"

Esta pergunta soa fácil por ser direta. Na verdade, é dificílima de responder, porque por definição existe um consenso sobre os conhecimentos ensinados na escola. E ela é psicologicamente complicada, pois qualquer um que tente respondê-la precisa dizer algo sabidamente impopular. O pensamento brilhante é raro, mas a coragem é ainda mais escassa do que a genialidade.

Mais comumente, ouço respostas como:

"O nosso sistema educacional está falido e precisa urgentemente de reparos."

"Os Estados Unidos são excepcionais."

"Não existe Deus."

Essas são respostas ruins. A primeira e a segunda afirmações podem ser verdadeiras, mas muitas pessoas já concordam com elas. A terceira afirmação simplesmente diz respeito a um debate familiar. Uma resposta boa assume a seguinte forma: "A maioria acredita em *x*, mas a verdade é o oposto de *x*." Darei minha própria resposta adiante neste capítulo.

O que essa pergunta contestadora tem a ver com o futuro? No sentido mais restrito, o futuro é simplesmente o conjunto de todos os momentos ainda por vir. Mas o que torna o futuro singular e importante não é o fato de que ainda não ocorreu, e sim de que será uma época em que o mundo parecerá diferente de hoje. Nesse sentido, se nada em nossa sociedade mudar nos próximos cem anos, o futuro está a cem anos de distância. Se as coisas mudarem de maneira radical na próxima década, o futuro está próximo. Ninguém consegue prever o futuro exatamente, mas sabemos duas coisas: será diferente e deve estar enraizado no mundo atual. Muitas respostas à pergunta contestadora são formas diferentes de ver o presente. Boas respostas se aproximam ao máximo de prever o futuro.

DE ZERO A UM:
O FUTURO DE PROGRESSO

Quando pensamos no futuro, esperamos um futuro de progresso. Esse progresso pode assumir uma das duas formas. O progresso horizontal ou extensivo significa copiar coisas que funcionam — ir de 1 a *n*. Ele é fácil de imaginar porque já conhecemos sua aparência. O progresso vertical ou intensivo significa criar coisas novas — ir de 0 a 1. Este é mais difícil de imaginar porque requer fazer algo que ninguém fez antes. Se você pega uma máquina de escrever e fabrica cem, fez um progresso horizontal. Se você tem uma máquina de escrever e desenvolve um processador de texto, fez um progresso vertical.

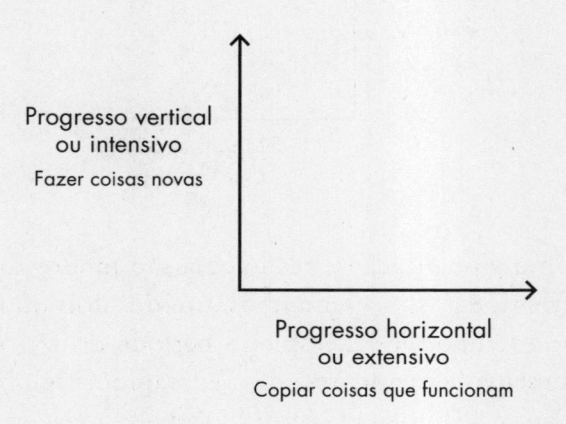

Progresso vertical
ou intensivo
Fazer coisas novas

Progresso horizontal
ou extensivo
Copiar coisas que funcionam

No nível macro, a palavra para progresso horizontal é *globalização* — pegar coisas que funcionam em algum lugar e fazer com que funcionem em todos os lugares. A China é o exemplo paradigmático da globalização. Seu plano de vinte anos é tornar-se o que os Estados Unidos são hoje. Os chineses vêm copiando diretamente tudo o que tem dado resultado no mundo desenvolvido: ferrovias do século XIX, ar-condicionado do século XX e mesmo cidades inteiras. Eles podem até saltar algumas etapas no caminho — passar direto ao celular sem instalar telefones fixos, por exemplo —, mas mesmo assim estão copiando.

A palavra para o progresso vertical, de 0 a 1, é *tecnologia*. O rápido progresso da Tecnologia da Informação (TI) nas últimas décadas tornou o Vale do Silício a capital da "tecnologia" em geral. Mas não há motivo para a tecnologia se limitar aos computadores. Entendida da maneira correta, qualquer forma nova e melhor de criar coisas é tecnologia.

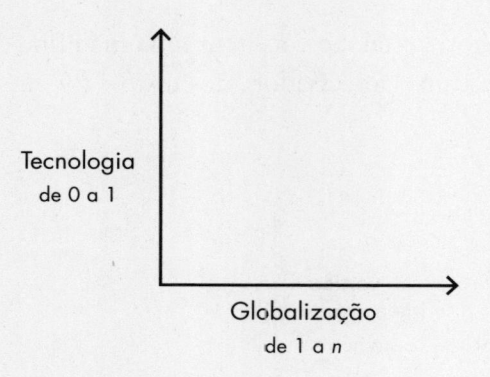

Como globalização e tecnologia são modos diferentes de progresso, é possível ter ambos, um dos dois ou nenhum ao mesmo tempo. Por exemplo, o período de 1815 a 1914 foi de desenvolvimento tecnológico rápido e globalização rápida. Entre a Primeira Guerra Mundial e a viagem de Kissinger para reatar relações com a China, em 1971, houve rápido desenvolvimento tecnológico, mas pouca globalização. Desde 1971, temos visto globalização rápida com um desenvolvimento tecnológico limitado, confinado na maior parte à TI.

Esta era da globalização tornou fácil imaginar que as próximas décadas trarão mais convergência e mais mesmice. Até nossa linguagem cotidiana sugere que acreditamos num tipo de fim da história tecnológica: a divisão do mundo nas chamadas nações desenvolvidas e nações em desenvolvimento implica que o mundo "desenvolvido" já alcançou o alcançável e que as nações mais pobres precisam apenas chegar lá.

Mas não creio que isso seja verdade. Minha própria resposta à pergunta contestadora é que a maioria das pessoas acha que o futuro do mundo será definido pela globalização, mas a verdade é que a tecnologia é mais importante. Sem mudança tecnológica, se a China dobrar sua produção de energia nas próximas duas décadas, dobrará também a poluição do ar. Se cada uma das centenas de milhões de lares da Índia passasse a viver como os norte-americanos vivem hoje — usando apenas as ferramentas atuais — o resultado seria ambientalmente catastrófico. Disseminar formas velhas de criar riqueza ao redor do mundo resultará em devastação, não em riqueza. Num mundo de recursos escassos, a globalização sem tecnologia nova é insustentável.

Novas tecnologias nunca foram um aspecto automático da história. Os nossos ancestrais viviam em sociedades estáticas, de soma zero, nas quais o sucesso significava confiscar coisas dos outros. Só raramente criavam novas fontes de riqueza, e no longo prazo jamais conseguiam criar o suficiente para livrar a pessoa comum de uma vida duríssima. Então, após 10 mil anos de avanço intermitente da agricultura primitiva aos moinhos medievais e astrolábios do século XVI, o mundo moderno subitamente experimentou um progresso tecnológico contínuo, do advento da máquina a vapor na década de 1760 até cerca de 1970. Como resultado, herdamos uma sociedade mais rica do que qualquer geração anterior sequer conseguiria imaginar.

Qualquer geração, exceto a dos nossos pais e avós, para ser exato: no final da década de 1960, eles esperavam que esse progresso continuasse. Previam um futuro com uma semana de trabalho de quatro dias, energia tão barata que nem valeria a pena medir e férias na lua. Mas isso não ocorreu. Os smartphones que nos desligam do mundo ao nosso redor também nos distraem do fato de que nosso entorno é estranhamente ultrapassado: apenas os computadores e as comunicações melhoraram substancialmente desde meados do século. O que não significa que nossos pais estavam equivocados ao imaginar um futuro melhor — só erraram ao esperar que fosse algo automático. Hoje nosso desafio é imaginar e criar novas tecnologias que possam tornar o século XXI mais pacífico e próspero do que o século XX.

PENSAMENTO DE STARTUP

Tecnologia nova tende a surgir de empreendimentos novos: startups. Dos Pais Fundadores da nação norte-americana, em política, até a Royal Society em ciência e os "oito traidores" da Fairchild Semiconductor*, nos negócios, pequenos grupos de pessoas unidas por um sentido de missão têm mudado o mundo para melhor. A explicação mais fácil para isso é negativa: é difícil desenvolver coisas novas em organizações grandes e ainda mais complicado fazê-lo sozinho. Hierarquias burocráticas avançam lentamente e interesses entrincheirados são avessos ao risco. Nas organizações mais disfuncionais, sinalizar que o trabalho vem sendo realizado torna-se uma estratégia melhor para o progresso na carreira do que fazer realmente o trabalho (se estou descrevendo sua empresa, você deveria deixá-la agora). No outro extremo, um gênio solitário poderia criar uma obra de arte ou literatura clássicas, mas jamais conseguiria criar uma indústria inteira. As startups operam baseadas no princípio de que você precisa interagir com outras pessoas para realizar as coisas, mas precisa também permanecer pequeno o suficiente para realmente conseguir realizá-las.

Positivamente definida, uma startup é o maior grupo de pessoas que você consegue convencer a participar de um plano

---

* Alusão aos oito homens que deixaram o Shockley Semiconductor Laboratory, em 1957, para logo depois fundar a Fairchild Semiconductor. Shockley considerou a saída uma "traição". (N. T.)

para construir um futuro diferente. A força mais importante de uma empresa nova é o pensamento novo: ainda mais importante que a agilidade, o tamanho reduzido proporciona espaço para pensar. Este livro é sobre as perguntas que você precisa fazer e responder para ter sucesso no ramo de criar coisas novas: o que se segue não é um manual ou um registro de conhecimentos, mas um exercício de pensamento. Porque é isto que uma startup precisa fazer: questionar ideias já reconhecidas e repensar os negócios do zero.

2

FESTEJAR COMO
SE FOSSE 1999

NOSSA PERGUNTA CONTESTADORA — *Sobre que verdade importante pouquíssimas pessoas concordam com você?* — é difícil de responder diretamente. Talvez seja mais fácil começar com uma pergunta preliminar: sobre o que todo mundo concorda? "A loucura é rara nos indivíduos — mas nos grupos, partidos, nações e eras é a regra", Nietzsche escreveu (antes de enlouquecer). Se você consegue identificar uma crença popular delirante, pode achar o que jaz oculto atrás dela: a verdade contestadora.

Vejamos uma afirmação elementar: as empresas existem para ganhar dinheiro, não para perder. Isso deveria ser óbvio a qualquer pessoa pensante. Mas não era tão óbvio para muitos no final da década de 1990, quando nenhum prejuízo era grande demais para que fosse descrito como um investimento num futuro ainda maior e mais brilhante. O pensamento convencional da "Nova Economia" aceitava o número de acessos à página na internet como um indicador financeiro mais confiável e prospectivo do que algo tão trivial quanto o lucro.

As crenças convencionais só passam a parecer arbitrárias e erradas em retrospecto. Sempre que uma delas desaba, chamamos a crença antiga de *bolha*. Mas as distorções causadas pelas bolhas não desaparecem quando elas estouram. A bolha da internet da década de 1990 foi a maior desde o crash de 1929, e as lições aprendidas com ela definem e distorcem quase todo pensamento sobre tecnologia hoje. O primeiro passo para pensarmos claramente é questionar o que achamos que sabemos sobre o passado.

UMA RÁPIDA HISTÓRIA DA DÉCADA DE 1990

A década de 1990 tem uma boa imagem. Tendemos a lembrá-la como uma década próspera e otimista que se encerrou com a alta e o colapso da internet. Mas muitos daqueles anos não foram tão alegres como nossa nostalgia sustenta. Esquecemos há muito tempo o contexto global dos 18 meses da onda das pontocom no final da década.

A década de 1990 começou com uma onda de euforia com a queda do Muro de Berlim, em novembro de 1989. Durou pouco. Em meados de 1990, os Estados Unidos estavam em recessão. Tecnicamente, o declínio terminou em março de 1991, mas a recuperação foi lenta e o desemprego continuou subindo até julho de 1992. A indústria nunca se recuperou plenamente. A mudança para uma economia de serviços foi prolongada e dolorosa.

O período de 1992 ao final de 1994 foi de mal-estar geral. Imagens de soldados norte-americanos mortos em Mogadíscio dominaram os noticiários da TV. A ansiedade com a globalização e a competitividade norte-americana intensificou-se à medida que os empregos fluíam para o México. Esse sentimento pessimista impediu a reeleição do presidente George Bush Pai e fez com que Ross Perot obtivesse quase 20% dos votos populares em 1992 — o melhor resultado de um candidato independente desde Theodore Roosevelt em 1912. E se o fascínio cultural com o Nirvana, o movimento grunge e a heroína refletiam algo, não era esperança ou confiança.

O Vale do Silício também perdeu o pique. O Japão parecia estar vencendo a guerra dos semicondutores. A internet ainda precisava decolar, em parte porque seu uso comercial era restrito até o final de 1992 e em parte devido à falta de navegadores amigáveis com o usuário. É revelador o fato de que, quando cheguei a Stanford em 1985, a Economia, e não a Ciência da Computação, era a área de especialização mais popular. Para a maioria das pessoas no campus, o setor tecnológico parecia idiossincrásico ou mesmo provinciano.

A internet mudou isso tudo. O navegador Mosaic foi oficialmente lançado em novembro de 1993, dando às pessoas comuns um meio de navegarem na internet. Mosaic se tornou Netscape, que lançou seu navegador Navigator no final de 1994. A adoção do Navigator aumentou tão rápido — de uns 20% do mercado de navegadores em janeiro de 1995 a quase 80% em menos de 12 meses — que a Netscape pôde fazer um IPO [oferta pública inicial de ações] em agosto de 1995, embora ainda nem fosse rentável. Em cinco meses, o valor da ação da Netscape disparara de 28 para 174 dólares. Outras empresas de tecnologia vinham tendo uma alta repentina também. O Yahoo! abriu o capital em abril de 1996 avaliado em 848 milhões de dólares. Depois veio a Amazon, em maio de 1997, a 438 milhões de dólares. Na primavera de 1998, as ações das duas empresas haviam mais que quadruplicado. Os céticos questionavam os lucros e as receitas mais altos do que os de quaisquer empresas fora da internet. Era fácil concluir que o mercado enlouquecera.

A conclusão era compreensível, mas inapropriada. Em dezembro de 1996 — mais de três anos antes de a bolha realmente estourar — o chairman do Federal Reserve, Alan Greenspan, alertou que a "exuberância irracional" pode ter "aumentado indevidamente os valores dos ativos". Os investidores em tecnologia eram exuberantes, mas não está claro que fossem tão irracionais assim. É fácil demais esquecer que as coisas também não iam muito bem no resto do mundo.

A crise financeira do leste asiático estourou em julho de 1997. Um capitalismo de compadrio e dívidas externas volumosas derrubaram as economias tailandesa, indonésia e sul-coreana. A crise do rublo veio a seguir, em agosto de 1998, quando a Rússia, tolhida por déficits fiscais crônicos, desvalorizou sua moeda e deu o calote da dívida. Os investidores americanos se alarmaram com aquela nação que possuia 10 mil armas nucleares e nenhum dinheiro. O índice Dow Jones desabou mais de 10% em questão de dias.

As pessoas tinham razão em se preocupar. A crise do rublo desencadeou uma reação em cadeia que derrubou o Long-Term Capital Management (LTCM), um fundo hedge americano altamente alavancado. O LTCM conseguiu perder 4,6 bilhões de dólares na segunda metade de 1998 e ainda tinha um passivo de 100 bilhões de dólares quando o Fed interveio com um enorme resgate financeiro e reduziu as taxas de juros para impedir o desastre sistêmico. A Europa tampouco ia melhor. O euro foi lançado em janeiro de 1999 sob grande ceticismo e apatia. Subiu para 1,19 dólar no primeiro dia de negociação mas despencou para 0,83 dólar em dois dias. Em meados de 2000, os banqueiros centrais do G7 tiveram de sustentá-lo com uma intervenção multibilionária.

Portanto, o pano de fundo para a efêmera onda das pontocom iniciada em setembro de 1998 era um mundo onde nada mais parecia funcionar. A Velha Economia não conseguia enfrentar os desafios da globalização. Algo precisava funcionar — e de forma grandiosa — para que o futuro pudesse de fato ser melhor. Por prova indireta, a Nova Economia da internet era o único caminho à frente.

A ONDA: SETEMBRO DE 1998-MARÇO DE 2000

A onda das pontocom foi intensa mas curta — 18 meses de insanidade, de setembro de 1998 a março de 2000. Foi uma corrida do ouro do Vale do Silício: o dinheiro abundava, e não faltavam pessoas exuberantes, muitas vezes questionáveis, para caçá-lo. Todas as semanas, dezenas de startups novas competiam para promover a festa de lançamento mais opulenta. (Festas comemorando resultados concretos eram muito mais raras.) Milionários no papel acumulavam contas de mil dólares em jantares e tentavam pagá-las com cotas de suas ações de startups — às vezes até funcionava. Legiões de pessoas abandonaram seus empregos bem-remunerados para fundar ou aderir a startups. Um estudante de pós-graduação na casa dos 40 que conheci em 1999 estava administrando seis empresas diferentes. (Geralmente se considera estranho um estudante de pós-graduação de 40 anos. Geralmente se considera insano abrir meia dúzia de empresas ao mesmo tempo. Mas, no final dos anos 1990, as pessoas conseguiam acreditar que aquela era uma combinação vitoriosa.) Todo mundo deveria ter sabido que a onda era insustentável. As empresas mais "bem-sucedidas" pareciam adotar um modelo antinegócios no qual *perdiam* dinheiro enquanto cresciam. Mas é difícil culpar as pessoas por dançarem conforme a música. A irracionalidade era racional, já que acrescentar ".com" ao seu nome podia dobrar seu valor da noite para o dia.

O BOOM DAS PONTOCOM

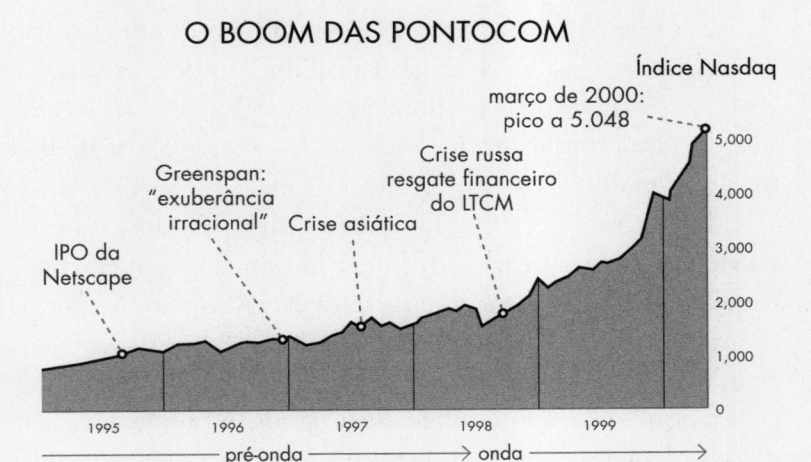

Índice Nasdaq

março de 2000:
pico a 5.048

Crise russa
resgate financeiro
do LTCM

Greenspan:
"exuberância
irracional"

Crise asiática

IPO da
Netscape

5,000
4,000
3,000
2,000
1,000
0

1995   1996   1997   1998   1999

←——————— pré-onda ———————→ onda ——————————→

ONDA DO PAYPAL

Quando eu estava administrando o PayPal, no final de 1999, morria de medo — não porque não acreditasse na nossa empresa, mas porque parecia que todos os outros no Vale estavam dispostos a acreditar em qualquer coisa. Para onde quer que eu olhasse, as pessoas estavam abrindo e vendendo empresas com uma casualidade alarmante. Um conhecido contou-me como planejou uma oferta pública inicial de ações [IPO, na sigla em inglês] de sua sala de estar antes de sequer constituir sua empresa em pessoa jurídica — e ele não achava aquilo estranho. Nesse tipo de ambiente, agir sensatamente começou a parecer excêntrico.

Ao menos o PayPal tinha uma missão nobre — do tipo que os céticos pós-bolha mais tarde descreveriam como grandiosa: queríamos criar uma moeda nova na internet para substituir o dólar americano. Nosso primeiro produto permitia às pessoas transferir dinheiro de um PalmPilot para outro. No entanto, ninguém se interessou por aquele produ-

23

to, exceto os jornalistas, que o elegeram uma das dez piores ideias de negócios de 1999. Os PalmPilots ainda eram exóticos demais então, mas o e-mail já era corriqueiro, de modo que decidimos criar um meio de enviar e receber pagamentos por e-mail.

No outono de 1999, nosso produto de pagamento por e-mail funcionava bem — qualquer um podia se conectar ao nosso site e transferir facilmente dinheiro. Mas não tínhamos clientes o suficiente, o crescimento era lento e as despesas cresciam. Para o PayPal funcionar, precisávamos atrair uma massa crítica de ao menos um milhão de usuários. A publicidade era ineficaz demais para justificar o custo. Acordos potenciais com os grandes bancos não deslanchavam. Assim, decidimos pagar às pessoas para se cadastrarem.

Oferecemos aos clientes novos 10 dólares por se cadastrarem e mais 10 dólares cada vez que indicassem um amigo. Com isso obtivemos centenas de milhares de clientes novos e uma taxa de crescimento exponencial. Claro que essa estratégia de aquisição de clientes era insustentável em si — quando você paga às pessoas para serem suas clientes, o crescimento exponencial significa uma estrutura de custos exponencialmente crescente. Custos malucos eram típicos daquela época no Vale. Mas achávamos que nossos custos enormes eram sensatos: com uma base de usuários grande, o PayPal tinha um claro caminho de rentabilidade cobrando uma pequena taxa pelas transações dos clientes.

Sabíamos que precisávamos de mais financiamento para alcançar aquela meta. Sabíamos também que o boom ia acabar. Como não esperávamos que a fé dos investidores em nossa missão sobrevivesse ao colapso iminente, corremos para arrecadar recursos enquanto podíamos. Em 16 de fevereiro de 2000, o *Wall Street Journal* publicou uma matéria elogiando nosso crescimento viral e sugerindo que o PayPal valia 500 milhões de dólares. Quando arrecadamos 100 milhões de dólares nos mês seguinte, nosso maior investidor considerou fidedigna a avaliação estimada do *Journal*. (Outros investidores estavam com ainda mais pressa. Uma empresa sul-coreana fez uma transferência bancária de 5 milhões de dólares sem primeiro negociar um contrato ou assinar quaisquer documentos. Quando tentei devolver o dinheiro, sequer me informaram para onde enviá-lo.) Aquela rodada de financiamento de março de 2000 nos comprou o tempo necessário para tornar o PayPal um sucesso. Assim que fechamos o negócio, a bolha estourou.

LIÇÕES APRENDIDAS

'Cause they say 2,000 zero zero party over, oops! Out of time!
*So tonight I'm gonna party like it's 1999!**
— Prince

A Nasdaq atingiu o pico de 5.048 pontos em meados de março de 2000 e depois desabou para 3.321 no meio de abril. Na época em que chegou ao fundo do poço com 1.114 pontos, em outubro de 2002, os Estados Unidos fazia tempo interpretavam o colapso do mercado como uma espécie de julgamento divino contra o otimismo tecnológico dos anos 1990. A era da esperança cornucopiana foi rerrotulada como uma era de ganância tresloucada e declarada definitivamente encerrada.

---

* "Eles dizem: 2.000 zero zero, fim da festa, opa! Tempo esgotado! Então hoje vou festejar como se fosse 1999!"

CRASH DAS PONTOCOM

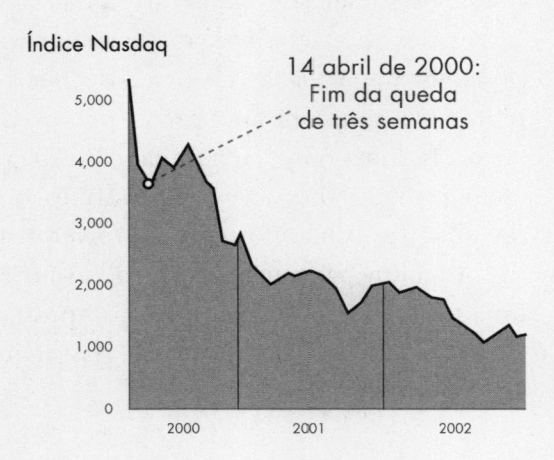

Todos aprenderam a tratar o futuro como fundamentalmente indefinido e a rejeitar como extremista qualquer um com planos suficientemente grandes para serem medidos em anos, em vez de trimestres. A globalização substituiu a tecnologia como a esperança do futuro. Desde que a migração dos anos 1990 "dos tijolos para os cliques" não funcionou como esperado, os investidores retornaram aos tijolos (moradias) e BRICs (globalização).* O resultado foi outra bolha, desta vez imobiliária.

Os empresários que perseveraram com o Vale do Silício aprenderam quatro grandes lições com o crash das pontocom que ainda hoje orientam o pensamento empresarial:

1. Faça avanços graduais

   Visões grandiosas inflaram a bolha, portanto não devem ser cultivadas. Qualquer um que alegue ser

---

* Aqui existe um jogo de palavras intraduzível com *bricks* (tijolos) e BRICs. (N. T.)

capaz de fazer algo de grande é suspeito, e qualquer um que queira mudar o mundo deveria ser mais humilde. Pequenos passos graduais são o único caminho seguro à frente.

2. Permaneça enxuto e flexível

Todas as empresas precisam ser "enxutas", o que é um código para "não planejadas". Você não deve saber o que sua empresa fará. Planejar é arrogante e inflexível. Em vez disso, você deve testar coisas, "iterar" e tratar o empreendedorismo como uma experimentação agnóstica.

3. Melhore com base na concorrência

Não tente criar um mercado novo prematuramente. A única forma de saber que você dispõe de um negócio real é começar com um cliente já existente, de modo que você deve desenvolver sua empresa melhorando produtos reconhecíveis que já foram oferecidos por concorrentes de sucesso.

4. Concentre-se nos produtos, não nas vendas

Se seu produto requer publicidade ou vendedores para ser vendido, não é suficientemente bom: tecnologia significa basicamente desenvolvimento de produtos, não distribuição. A publicidade da era da bolha foi obviamente um desperdício, portanto o único crescimento sustentável é o crescimento viral.

Essas lições tornaram-se dogmas no mundo das startups. Quem as ignorasse presumidamente estaria atraindo o desastre justificado que vitimou a tecnologia no grande colapso de 2000. No entanto, os princípios opostos provavelmente são mais corretos:

1. *Melhor arriscar com a ousadia do que com a trivialidade.*

2. *Um plano ruim é melhor que nenhum plano.*

3. *Mercados competitivos destroem os lucros.*

4. *As vendas importam tanto quanto o produto.*

É verdade que houve uma bolha na tecnologia. O final dos anos 1990 foi uma época de excesso de confiança: as pessoas acreditavam em ir de 0 a 1. Pouquíssimas startups estavam realmente chegando lá, e muitas nunca foram além de conversar a respeito. Mas as pessoas entendiam que não tínhamos escolha senão achar meios de fazermos mais com menos. A alta do mercado de março de 2000 foi obviamente um pico de insanidade. Menos óbvio, mas mais importante, foi também um pico de clareza. As pessoas previam o futuro distante, viam quanta tecnologia nova e valiosa seria necessária para chegarmos a ele com segurança e se julgavam capazes de criá-la.

Ainda necessitamos de novas tecnologias e talvez precisemos até de um excesso de confiança e exuberância no estilo de 1999 para obtê-la. Para desenvolver a próxima geração de empresas, precisamos abandonar os dogmas criados após o colapso. Isso não significa que as ideias opostas sejam automaticamente verdadeiras: você não consegue escapar da loucura das multidões rejeitando-as dogmaticamente. Em vez disso, pergunte-se: quanto do que você sabe sobre negócios é moldado por reações equivocadas a erros do passado? A coisa mais contestadora de todas não é se opor à multidão, mas pensar por si mesmo.

3

TODAS AS EMPRESAS FELIZES SÃO DIFERENTES

A VERSÃO EMPRESARIAL DE nossa pergunta contestadora é: *que empresa valiosa ninguém está construindo?* Essa pergunta é mais difícil do que se afigura, porque sua empresa poderia criar um monte de valor sem se tornar ela própria valiosa. Criar valor não é suficiente — você também precisa captar parte do valor que cria.

Isso significa que mesmo empresas enormes podem ser maus negócios. Por exemplo, as empresas de aviação americanas servem milhões de passageiros e criam centenas de bilhões de dólares de valor a cada ano. Mas em 2012, quando a passagem aérea média custava 178 dólares, as companhias aéreas ganharam apenas 37 centavos de dólar por passageiro/viagem. Compare isso com o Google, que cria menos valor, mas capta bem mais. O Google arrecadou 50 bilhões de dólares em 2012 (em comparação com 160 bilhões de dólares das companhias aéreas), mas conservou 21% daquelas receitas como lucro — mais de cem vezes a margem de lucro do setor de aviação naquele ano. O Google ganha tanto dinheiro que vale hoje três vezes mais do que todas as companhias aéreas norte-americanas combinadas.

As empresas de aviação competem umas com as outras, mas o Google está sozinho. Os economistas usam dois modelos simplificados para explicar a diferença: concorrência perfeita e monopólio.

A "concorrência perfeita" é considerada o estado ideal e padrão nos compêndios de economia. Os denominados mercados perfeitamente competitivos atingem o equilíbrio quando a oferta do produtor atende à demanda do consumidor. Toda empresa em um mercado competitivo é indiferenciada e vende os mesmos produtos homogêneos. Como nenhuma empresa possui qualquer poder de mercado, todas precisam vender ao preço que o mercado determina. Se der para ganhar dinheiro, empresas novas entrarão no mercado, aumentarão a oferta, farão os preços caírem e assim eliminarão os lucros que as atraíram originalmente. Se empresas demais entram no mercado, sofrerão prejuízos, algumas falirão e os preços voltarão a subir a níveis sustentáveis. Sob a concorrência perfeita, no longo prazo *nenhuma empresa obtém um lucro econômico.*

O oposto da concorrência perfeita é o monopólio. Enquanto uma empresa competitiva precisa vender ao preço de mercado, um monopólio possui seu mercado, podendo assim fixar seus próprios preços. Como não tem concorrência, produz na combinação de quantidade e preço que maximize seus lucros.

Para um economista, todo monopólio parece igual, quer elimine desonestamente os rivais, obtenha uma licença do Estado ou abra caminho até o topo via inovação. Neste livro, não estamos interessados em empresas desonestas ou favorecidas por governos: por "monopólio" designamos o tipo de empresa que é tão boa no que faz que nenhuma outra consegue oferecer um substituto próximo. O Google é um bom exemplo de uma empresa que foi de 0 a 1: não tem concorrente em mecanismos de busca desde o início da década de 2000, quando definitivamente se distanciou de Microsoft e do Yahoo!

Os norte-americanos idealizam a concorrência e acham que é ela que nos salva da penúria socialista. Na verdade, capitalismo e concorrência são opostos. O capitalismo tem por premissa a acumulação de capital, mas sob a concorrência perfeita todos os lucros desaparecem. A lição para os empreendedores é clara: *se vocês querem criar e conquistar valor duradouro, não desenvolvam um negócio de produto indiferenciado.*

MENTIRAS QUE AS PESSOAS CONTAM

Quanto do mundo é de fato monopolista? Quanto é realmente competitivo? É difícil dizer, porque nossa conversa comum sobre essas questões é muito confusa. Para o observador externo, todas as empresas podem parecer razoavelmente semelhantes, então é fácil perceber apenas pequenas diferenças entre elas.

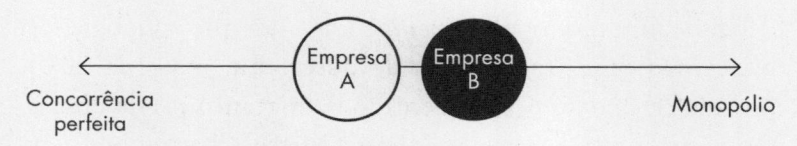

PERCEPÇÃO: AS EMPRESAS SÃO SEMELHANTES

Mas a realidade é bem mais binária do que isso. Existe uma diferença enorme entre concorrência perfeita e monopólio, e a maioria das empresas está mais próxima de um extremo do que costumamos perceber.

REALIDADE:
AS DIFERENÇAS SÃO PROFUNDAS

A confusão advém de uma tendência universal de descrever condições do mercado em causa própria: tanto os monopolistas como os concorrentes são incentivados a distorcer a verdade.

Os monopólios mentem

Os monopolistas mentem para se proteger. Eles sabem que alardear seu grande monopólio é um convite a: auditoria, escrutínio e ataques. Como desejam que seus lucros do monopólio continuem sossegados, tendem a fazer o que podem para ocultar seu monopólio — geralmente exagerando o poder de sua concorrência (inexistente).

Pense sobre como o Google fala sobre seu negócio. Com certeza não *afirma* ser um monopólio. Mas será que é? Bem, depende: um monopólio em *quê*? Digamos que o Google seja basicamente um mecanismo de busca. Em maio de 2014, possuía cerca de 68% do mercado de mecanismos de buscas. (Seus concorrentes mais próximos, Microsoft e Yahoo!, possuem cerca de 19% e 10%, respectivamente.) Se isso não parece suficientemente dominante, considere o fato de que a palavra "google" é agora um verbete oficial no *Oxford English Dictionary* — como um verbo. Pode esperar sentado que isso aconteça com o Bing.

Mas suponhamos que o Google é basicamente uma empresa de publicidade. Isso muda as coisas. O mercado publicitário em mecanismos de busca norte-americano é de 17 bilhões de dólares anuais. A publicidade on-line está em 37 bilhões de dólares anuais. Todo o mercado publicitário norte-americano é de 150 bilhões de dólares. E a publicidade *global* é um mercado de 495 bilhões de dólares. Portanto, ainda que o Google monopolizasse completamente o mercado publicitário norte-americano em mecanismos de busca, possuiria apenas 3,4% do mercado publicitário global. Deste ângulo, o Google parece um protagonista pequeno num mundo competitivo.

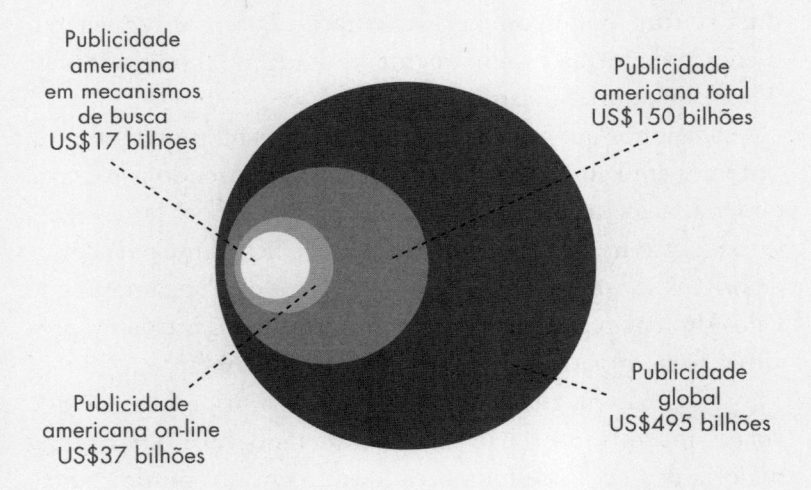

Publicidade americana em mecanismos de busca US$17 bilhões

Publicidade americana total US$150 bilhões

Publicidade americana on-line US$37 bilhões

Publicidade global US$495 bilhões

E se, em vez disso, enquadrarmos o Google como uma empresa de tecnologia multifacetada? Isso parece bem razoável. Além do mecanismo de busca, o Google produz dezenas de outros produtos de software, sem falar em carros robóticos, telefones Android e computação vestível. Porém, 95% da receita do Google vem da publicidade em buscas. Seus outros produtos geraram apenas 2,35 bilhões de dólares em 2012, e seus produtos tecnológicos de consumo, uma mera fração disso. Como a tecnologia de consumo é globalmente um mercado de 964 bi-lhões de dólares, o Google possui menos de 0,24% dele — a grande distância da relevância, e mais ainda do monopólio. Enquadrar-se como mais uma empresa de tecnologia permite ao Google escapar de todos os tipos de atenção indesejada.

Mentiras competitivas

Os não monopolistas contam a mentira inversa: "estamos numa liga solitária". Os empresários estão sempre inclinados a atenuar a escala da concorrência, mas esse é o pior erro que uma startup pode cometer. A tentação fatal é descrever seu mercado de forma extremamente limitada, de modo que você o domine por definição.

Digamos que você deseja abrir um restaurante de comida britânica em Palo Alto. "Ninguém mais está fazendo isso", você poderia raciocinar. "Teremos o mercado inteiro." Mas isso só é verdade se o mercado em pauta for especificamente o de comida britânica. E se o verdadeiro mercado for o de restaurantes de Palo Alto em geral? E se todos os restaurantes das cidades próximas fizerem parte do mercado relevante também?

Essas são perguntas difíceis, mas o maior problema é que você é incentivado a não fazê-las. Quando você ouvir que a maioria dos novos restaurantes fracassa em um ou dois anos, seu instinto será apresentar uma história de como o seu é diferente. Você gastará tempo tentando convencer as pessoas de que é excepcional, em vez de refletir seriamente se aquilo é verdade. Seria melhor parar e pensar se há pessoas em Palo Alto que prefeririam comer comida britânica em vez de qualquer outra. É bem possível que não existam.

Em 2001, meus colegas do PayPal e eu costumávamos almoçar na Castro Street, em Mountain View. Tínhamos nossas opções de restaurantes, começando com categorias óbvias como indiano, japonês e hambúrguer. Havia mais opções, uma vez que nos decidíssemos sobre um tipo: norte-indiano ou sul-indiano, mais barato ou mais badalado, e assim por diante. Em contraste com o competitivo mercado de restaurantes locais, o PayPal era na época a única empresa de pagamento por e-mail do mundo. Empregávamos menos pessoas que os restaurantes da Castro Street, mas nosso negócio era bem mais valioso do que a soma de todos aqueles restaurantes. Abrir um novo restaurante sul-indiano é realmente uma péssima forma de ganhar dinheiro. Se você perder de vista a realidade competitiva e focar em fatores diferenciadores triviais — talvez você ache que seu *naan* é melhor devido à receita de sua bisavó —, seu negócio dificilmente sobreviverá.

As indústrias criativas também funcionam assim. Nenhum roteirista quer admitir que seu novo roteiro de filme simplesmente repete o que já foi feito antes. Pelo contrário, o discurso de venda é: "Este filme combinará vários elementos empolgantes de formas inteiramente novas." Pode até ser verdade. Suponha que sua ideia seja fazer com que Jay-Z atue

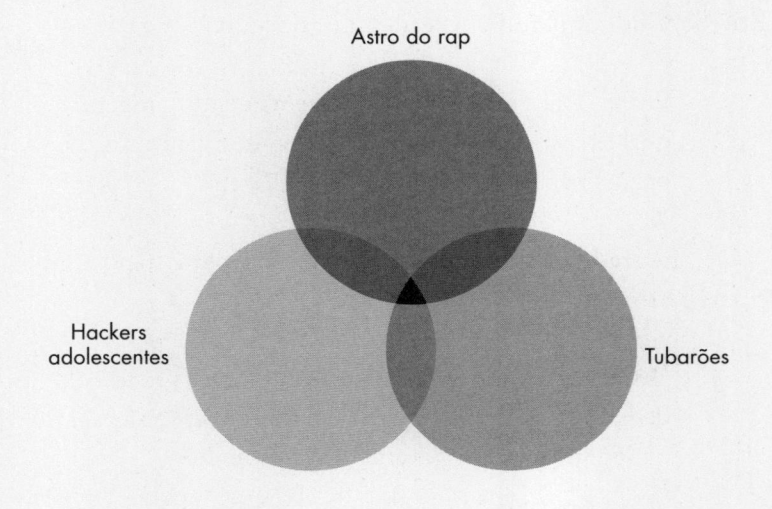

num híbrido entre *Hackers* e *Tubarões*: o astro do rap se junta a um grupo de elite de hackers para capturar o tubarão que matou seu amigo. *Isso* definitivamente nunca foi feito antes. Mas, como a falta de restaurantes britânicos em Palo Alto, talvez seja uma coisa boa.

Os não monopolistas exageram sua diferença definindo seu mercado como a *interseção* de vários mercados menores:

comida britânica ∩ restaurante ∩ Palo Alto

astro do rap ∩ hackers ∩ tubarões

Já os monopolistas disfarçam seu monopólio enquadrando seu mercado como a *união* de diversos mercados grandes:

mecanismo de busca ∪ celulares ∪ computadores vestíveis ∪ carros com piloto automático

Como a história de união de um monopolista parece na prática? Vejamos uma afirmação do presidente do Google, Eric Schmidt, em audiência no Congresso, em 2011:

> Enfrentamos uma paisagem extremamente competitiva na qual os consumidores têm uma grande quantidade de opções para acessar informações.

Ou, traduzido da linguagem de RP para o português corriqueiro:

> O Google é um peixe pequeno numa lagoa grande. Podemos ser engolidos a qualquer momento. Não somos o monopólio que o governo está buscando.

PESSOAS CRUÉIS

O problema de uma empresa competitiva vai além da falta de lucro. Imagine que você está administrando um daqueles restaurantes em Mountain View. Você não é muito diferente das dezenas de seus concorrentes, portanto precisa lutar para sobreviver. Se oferecer comida acessível com margens baixas, provavelmente só conseguirá pagar aos funcionários um salário mínimo. E precisará maximizar a eficiência: por essa razão restaurantes pequenos colocam a vovó para trabalhar no caixa e as crianças para lavar a louça nos fundos. Não há grande diferença mesmo nos mais altos patamares, nos quais resenhas e classificações como o sistema de estrelas Michelin reforça uma cultura de competição intensa que pode levar os chefs à loucura. (O chef francês Bernard Loiseau, classificado com três estrelas no guia Michelin, foi citado dizendo: "Se eu perder uma estrela, me suicido." O guia Michelin manteve sua classificação, mas Loiseau se matou mesmo assim, em 2003, quando um guia de restaurantes francês concorrente rebaixou seu estabelecimento.) O ecossistema competitivo leva as pessoas à impiedade ou à morte.

Um monopólio como o Google é diferente. Como não precisa se preocupar em concorrer com ninguém, dispõe de mais margem de manobra para cuidar de seus funcionários, seus produtos e seu impacto no mundo maior. O lema do Google — "*Don't be evil*" [Não seja mau] — é em parte *branding* [criação e gerenciamento de uma marca], em parte elemento característico de um tipo de negócio suficientemente bem-sucedido para levar a ética a sério sem comprometer a própria existência. Nos negócios, *o dinheiro é algo importante ou é tudo*. Os monopolistas podem se dar ao luxo de pensar em outras coisas além de ganhar dinheiro. Os não monopolistas não podem. Na concorrência perfeita, uma empresa está tão concentrada nas margens atuais que não consegue planejar um futuro de longo prazo. Só uma coisa permite que uma empresa transcenda a luta cruel diária pela sobrevivência: os lucros monopolistas.

CAPITALISMO DE MONOPÓLIO

Então, um monopólio é bom para todos que se beneficiam dele. Mas e aqueles que não fazem parte dele? Os lucros descomunais vêm à custa do resto da sociedade? Na verdade, sim: os lucros vêm das carteiras dos clientes, e os monopólios merecem sua má reputação — *mas somente num mundo onde nada muda.*

Num mundo estático, um monopolista não passa de um coletor de rendas. Se você monopolizar certo mercado, pode elevar o preço. Aos outros não restará opção senão comprar de você. Pense no famoso jogo de tabuleiro Monopoly: as escrituras vão sendo negociadas entre os jogadores, mas o tabuleiro nunca muda. Não existe um meio de vencer inventando um tipo melhor de construção civil. Os valores relativos das propriedades são fixados para todo o sempre, portanto tudo que você pode fazer é tentar comprá-las.

Mas o mundo onde vivemos é dinâmico: é possível inventar coisas novas e melhores. Os monopolistas criativos oferecem aos clientes *mais* opções acrescentando ao mundo categorias inteiramente novas de abundância. Os monopólios criativos não são apenas bons para o resto da sociedade; são motores poderosos para torná-la melhor.

Mesmo o governo sabe disso: por isso um de seus departamentos se esforça por criar monopólios (concedendo patentes a novas invenções) embora outra parte os persiga (movendo ações antitruste). É possível questionar se alguém de fato deveria receber um monopólio *legalmente aplicável* simplesmente por ter sido o primeiro a pensar em algo, como um projeto de software móvel. Mas está claro que algo como os lucros monopolistas da Apple, por projetar, produzir e vender o iPhone, foram a recompensa por criar maior abundância, não escassez artificial: os clientes ficaram satisfeitos por enfim terem a opção de pagar preços mais altos para obter um smartphone que de fato funciona.

O próprio dinamismo dos novos monopólios explica por que os velhos monopólios não sufocam a inovação. Com o iOS da Apple na linha de frente, a ascensão da computação móvel reduziu fortemente o domínio de décadas do sistema operacional da Microsoft. Antes disso, o monopólio do hardware da IBM nas décadas de 1960 e 1970 foi ultrapassado pelo monopólio de software da Microsoft. A AT&T monopolizou o serviço telefônico por grande parte do século XX, mas agora qualquer um pode obter um plano de telefone celular barato de uma série de operadoras. Se a tendência das empresas monopolistas fosse deter o progresso, elas seriam perigosas, e faríamos bem em nos opor a elas. Mas a história do progresso é uma história de empresas monopolistas melhores substituindo as até então dominantes.

Os monopólios promovem o progresso porque a promessa de anos, ou mesmo décadas, de lucros monopolistas fornece um poderoso incentivo à inovação. Depois os monopólios podem continuar inovando porque os lucros permitem que façam planos de longo prazo e financiem projetos de pesquisa ambiciosos, com os quais as empresas prisioneiras da concorrência sequer podem sonhar.

Então por que os economistas são obcecados pela concorrência como um estado ideal? Trata-se de uma relíquia da história. Os economistas copiaram sua matemática da obra dos físicos do século XIX: eles veem os indivíduos e as empresas como átomos intercambiáveis, não como criadores únicos. Suas teorias descrevem um estado de equilíbrio de concorrência perfeita por ser fácil de servir de modelo, não porque represente o melhor dos negócios. Mas vale a pena lembrar que o equilíbrio de longo prazo previsto pelos físicos do século XIX era um estado no qual toda a energia está uniformemente distribuída e tudo entra em repouso — também conhecido como morte térmica do universo. Quaisquer que sejam seus pontos de vista sobre termodinâmica, trata-se de uma metáfora poderosa: nos negócios, o equilíbrio significa estase, e estase significa morte. Se sua empresa está em equilíbrio competitivo, a morte do seu negócio não importará para o mundo. Algum outro concorrente indiferenciado sempre estará disposto a tomar seu lugar.

O equilíbrio perfeito pode descrever o vazio que é grande parte do universo. Pode até caracterizar muitas empresas. Mas cada criação nova ocorre longe do equilíbrio. No mundo real, fora da teoria econômica, uma empresa faz sucesso exatamente na medida em que realiza algo que as outras não conseguem. O monopólio, portanto, não é uma patologia ou uma exceção. *O monopólio é a condição de todo negócio bem-sucedido.*

Tolstoi abre *Ana Karênina* observando: "Todas as famílias felizes são parecidas entre si. As infelizes são infelizes cada uma à sua maneira."* Nos negócios, o oposto é verdadeiro. Todas as empresas felizes são diferentes: cada uma conquista um monopólio ao solucionar um problema singular. Todas as empresas fracassadas são iguais: fracassaram para escapar da concorrência.

---

* Leon Tolstoi. *Ana Karênina*. Tradução de Manuel Siqueira Paranhos. São Paulo: Nova Cultural: 1995.

4

A IDEOLOGIA DA CONCORRÊNCIA

Monopólio criativo significa produtos novos que beneficiam a todos e lucros sustentáveis para o criador. Concorrência significa ninguém lucrando, nenhuma diferenciação significativa e uma luta pela sobrevivência. Então por que as pessoas acreditam que a concorrência é saudável? A resposta é que a concorrência não é apenas um conceito econômico ou uma simples inconveniência que indivíduos e empresas precisam enfrentar no mercado. Mais do que tudo, a concorrência é uma ideologia — *a* ideologia — que permeia nossa sociedade e distorce nosso pensamento. Pregamos a concorrência, internalizamos sua necessidade e aplicamos seus mandamentos. Como resultado, ficamos prisioneiros dela — ainda que, por mais que concorramos, menos realmente ganhamos.

Uma verdade simples, mas fomos todos instruídos a ignorá-la. Nosso sistema educacional tanto promove quanto reflete nossa obsessão pela competição. As próprias notas permitem uma medição precisa da competitividade de cada estudante: os alunos com melhores notas ganham status e credenciais. Ensinamos a todos os jovens as mesmas matérias quase das mesmas maneiras, sem levar em conta os talentos e as preferências individuais. Os alunos que não aprendem sentados quietos em suas carteiras são induzidos a se sentir inferiores, enquanto as crianças que se destacam nos indicadores convencionais, como provas e trabalhos, acabam definindo suas identidades com base nessa realidade paralela escolar estranhamente forçada.

E a coisa fica pior quando os estudantes ascendem aos níveis mais altos do torneio. Confiantes, os estudantes de elite escalam até chegar a um nível de competição suficientemente intenso para matar seus sonhos. A educação superior é o lugar onde pessoas que tinham planos grandiosos no ensino médio se atolam em rivalidades ferozes, com colegas igualmente inteligentes, por carreiras convencionais em consultoria empresarial e bancos de investimentos. Pelo privilégio de serem transformados em conformistas, os estudantes (ou suas famílias) pagam centenas de milhares de dólares em anuidades estratosféricas que continuam ultrapassando a inflação. Por que fazemos isso conosco?

Gostaria de ter feito essa pergunta quando mais jovem. Meu caminho foi tão convencional que no meu anuário do 8º ano um dos meus amigos previu — corretamente — que quatro anos depois eu entraria como segundanista em Stanford. E após uma carreira de graduação convencionalmente bem-sucedida, matriculei-me na Stanford Law School, onde competi com ainda mais afinco pelos galardões clássicos do sucesso.

O prêmio máximo no mundo dos estudantes de Direito é inequívoco: dentre dezenas de milhares de graduados a cada ano, apenas umas poucas dezenas obtêm um cargo de escrivão na Suprema Corte. Após trabalhar como escrivão numa corte de apelação federal por um ano, fui convidado para ser entrevistado pelos juízes da Suprema Corte, Kenneth e Scalia. Meus encontros com os juízes foram bons. Estive perto de ganhar essa última competição. Se eu conseguisse o cargo de escrivão da Suprema Corte, estaria com a vida ganha, eu pensava. Mas não consegui. Na época, fiquei arrasado.

Em 2004, depois de ter criado e vendido o PayPal, topei com um antigo colega da Faculdade de Direito que havia me ajudado a preparar minhas candidaturas fracassadas ao cargo de escrivão. Não nos falávamos havia uma década. Sua primeira pergunta não foi "Como você está?" ou "Dá para acreditar que passou tanto tempo?". Em vez disso, ele sorriu e perguntou: "Então, Peter, você não está feliz por não ter conseguido aquele cargo de escrivão?" Com o benefício da visão retrospectiva, ambos sabíamos que vencer aquela derradeira competição teria mudado minha vida para pior. Se eu me tornasse realmente escrivão da Suprema Corte, provavelmente teria passado minha carreira inteira tomando depoimentos ou redigindo contratos de negócios de outras pessoas em vez de criar algo novo. É difícil dizer quanta coisa seria diferente, mas os custos de oportunidade eram enormes. Todos os Rhodes Scholars* tinham um grande futuro em seu passado.

GUERRA E PAZ

Os professores subestimam a cultura impiedosa do mundo acadêmico, mas os gerentes nunca se cansam de comparar os negócios à guerra. Os estudantes de MBA carregam consigo

---

* Aqueles que recebem bolsa para estudar na Universidade de Oxford. (N. T.)

exemplares de Clausewitz e Sun Tzu. Metáforas de guerra invadem nossa linguagem empresarial cotidiana: usamos *headhunters** [caça-talentos] para construir uma *força* de vendas que nos possibilitará obter um *mercado cativo* e *detonar.*** Mas na verdade é a competição, não os negócios, que se assemelha à guerra: conjeturalmente necessária, supostamente heroica, mas, em última análise, destrutiva.

Por que as pessoas competem entre si? Marx e Shakespeare fornecem dois modelos para entender quase todo tipo de conflito.

De acordo com Marx, as pessoas lutam porque são diferentes. O proletariado combate a burguesia porque tem ideias e metas completamente diferentes (geradas, para Marx, por suas circunstâncias materiais tão diferentes). Quanto maiores as diferenças, maior o conflito.

Já para Shakespeare, todos os combatentes parecem mais ou menos iguais. Não está claro por que deveriam estar lutando, já que não têm nada pelo que lutar. Observe a frase de abertura de *Romeu e Julieta*: "Duas famílias iguais na dignidade." As duas casas são iguais, mas se odeiam. A semelhança cresce ainda mais à medida que o conflito aumenta. No final, perdem de vista o porquê de terem começado a lutar.

No mundo dos negócios, ao menos, Shakespeare se mostra o guia superior. Dentro de uma empresa, as pessoas ficam obcecadas pelos seus concorrentes no progresso da carreira. Depois as próprias empresas ficam obcecadas por seus concorrentes no mercado. Em meio a todo o drama humano, as pessoas perdem de vista o que importa, concentrando-se em vez disso em seus rivais.

---

* *Headhunter*, hoje amplamente utilizada no sentido de caça-talentos, aquele que recruta pessoal, significa "um selvagem que corta e preserva a cabeça do inimigo como troféu". (N. E.)
** No original, *make a killing*. (N. E.)

Testemos o modelo de Shakespeare no mundo real. Imagine uma produção chamada *Gates e Schmidt*, baseada em *Romeu e Julieta*. Montéquio é a Microsoft. Capuleto é o Google. Duas grandes famílias, dirigidas por nerds alfa, cujo choque é iminente devido à sua semelhança.

Como em toda boa tragédia, o conflito parece inevitável apenas em retrospecto. Na verdade, era totalmente evitável. Essas famílias vieram de locais bem diferentes. A Casa Montéquio desenvolvia sistemas operacionais e aplicativos de escritório. A Casa Capuleto criou um mecanismo de busca. O que havia pelo que brigarem?

Muita coisa, aparentemente. Como uma startup, cada clã se contentava em deixar o outro em paz, prosperando independentemente. Mas, ao crescerem, começaram a se concentrar um no outro. Os Montéquio obcecados pelos Capuleto, obcecados pelos Montéquio. O resultado? Windows versus Chrome OS, Bing versus Google Search, Explorer versus Chrome, Office versus Docs e Surface versus Nexus.

Assim como a guerra custou aos Montéquio e aos Capuleto seus filhos, custou à Microsoft e ao Google seu domínio: a Apple chegou e ultrapassou todos eles. Em janeiro de 2013, a capitalização de mercado da Apple era de 500 bilhões de dólares, enquanto as do Google e da Microsoft juntos valiam 467 bilhões de dólares. Apenas três anos antes, a Microsoft e o Google eram *cada uma* mais valiosa que a Apple. A guerra é um negócio custoso.

A rivalidade nos leva a superenfatizar velhas oportunidades e copiar submissamente o que funcionou no passado. Vejamos a proliferação recente de leitores de cartão de crédito para celular. Em outubro de 2010, uma startup chamada Square lançou um pequeno produto branco, de forma quadrada, que permitia a qualquer um com um iPhone passar e acei-

tar cartões de crédito. Foi a primeira boa solução de processamento de pagamentos para celulares. Os imitadores logo
entraram em ação. Uma empresa canadense chamada NetSe-
cure lançou seu próprio leitor de cartão em forma de meia-lua.
A Intuit trouxe um leitor cilíndrico à batalha geométrica. Em
março de 2012, a unidade PayPal do eBay lançou sua própria
imitação de leitor de cartão. Tinha a forma de um triângulo
— um golpe claro no Square, já que três lados são mais simples que quatro. A sensação é de que essa saga shakespeareana
só terminará quando os macacos de imitação esgotarem todas
as formas geométricas possíveis.

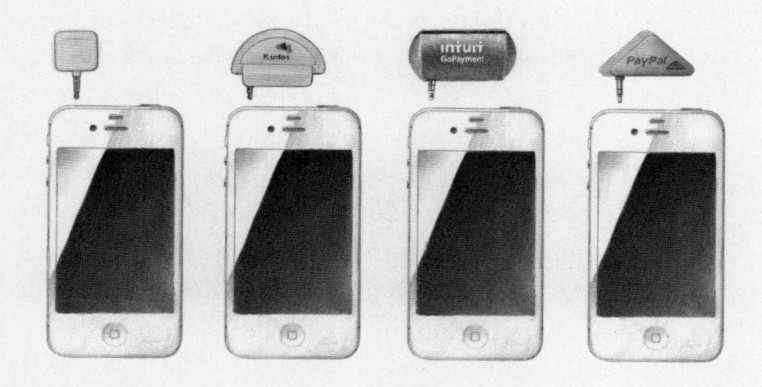

Os riscos da competição imitativa podem parcialmente
explicar por que indivíduos com uma inépcia social semelhante
à síndrome de Asperger parecem hoje estar em vantagem no
Vale do Silício. Se você é menos sensível às deixas sociais, menor
sua tendência a fazer as mesmas coisas que os outros à sua volta.
Se está interessado em criar coisas ou programar computadores,
terá menos medo de seguir essas atividades de maneira obstinada, tornando-se assim incrivelmente exímio nelas. Depois, ao

aplicar suas habilidades, suas chances de desistir de suas convicções serão menores do que as dos outros: isso pode poupá-lo de ser envolvido em multidões competindo por prêmios óbvios.

A competição pode levar as pessoas a verem, alucinadamente, oportunidades inexistentes. A versão louca dos anos 1990 foi a batalha feroz pelo mercado de lojas on-line de artigos para animais de estimação. Pets.com versus PetStore.com versus Petopia.com versus aparentemente dezenas de outras. Cada empresa estava obcecada em derrotar seus rivais, precisamente por inexistirem diferenças substantivas nas quais se concentrar. Em meio a todas as questões táticas — Quem conseguia reduzir mais agressivamente os preços dos brinquedos para cães? Quem conseguiria criar os melhores anúncios para o Super Bowl? — essas empresas perderam totalmente de vista a questão mais ampla: se o mercado on-line de suprimentos para pets era o espaço certo. Vencer é melhor do que perder, mas todos perdem quando a guerra não vale a pena ser travada. Quando a Pets.com faliu, após o crash das pontocom, 300 milhões de dólares em capital de investimento desapareceram com ela.

Outras vezes, a rivalidade é apenas estranha e perturbadora. Vejamos o conflito shakespeareano entre Larry Ellison, cofundador e CEO da Oracle, e Tom Siebel, um um dos maiores vendedores na Oracle e pupilo de Ellison antes de resolver fundar a Siebel Systems em 1993. Ellison ficou furioso com o que considerou uma traição de Siebel. Este odiava ficar à sombra de seu antigo chefe. Os dois homens eram basicamente idênticos — homens durões de Chicago que adoravam vender e odiavam perder —, de modo que seu ódio foi profundo. Ellison e Siebel passaram a segunda metade da década de 1990 tentando sabotar um ao outro. A certa altura, Ellison enviou caminhões de sanduíches de sorvete para a sede da Siebel para tentar convencer seus funcionários a deserta-

rem. O texto dos papéis do sorvete? "O verão está próximo.
A Oracle está aqui. Para abrilhantar seu dia e sua carreira."

Estranhamente, a Oracle acumulava inimigos de forma
intencional. A teoria de Ellison era de que é sempre bom ter
um inimigo, desde que permanecesse grande o suficiente para
parecer ameaçador (e assim motivar os funcionários), mas não
tão grande a ponto de realmente ameaçar a empresa. Assim, é
possível que Ellison tenha ficado empolgado quando, em
1996, uma pequena empresa de bancos de dados chamada Informix instalou um outdoor perto da sede da Oracle,
em Redwood Shores, dizendo: CUIDADO: DINOSSAURO
ATRAVESSANDO. Outro outdoor da Informix na rodovia
101, em direção ao norte, dizia: VOCÊ ACABA DE UL-
TRAPASSAR REDWOOD SHORES. NÓS TAMBÉM.

A Oracle contra-atacou com um outdoor que insinuava
que o software da Informix era mais lento do que lesmas. Depois
o CEO da Informix Phil White decidiu levar as coisas para o
lado pessoal. Quando White soube que Larry Ellison apreciava
a cultura samurai japonesa, encomendou um novo outdoor
mostrando o logotipo da Oracle com uma espada samurai que-
brada. O anúncio sequer visava a Oracle como uma entidade,
menos ainda o público consumidor. Foi um ataque pessoal a
Ellison. Mas talvez White tenha passado tempo demais se preocupando com a concorrência: enquanto estava ocupado criando
outdoors, a Informix implodiu num enorme escândalo contábil,
e White logo se viu numa prisão federal por fraude de títulos.

Se você não consegue derrotar um rival, talvez seja preferí-
vel a fusão. Criei a Confinity junto com Max Levchin em 1998.
Quando lançamos o produto PayPal no final de 1999, a X.com
de Elon Musk estava no nosso encalço: os escritórios de nossas
empresas ficavam a quatro quarteirões de distância, na Univer-
sity Avenue, em Palo Alto, e o produto da X se assemelhava ao

nosso em todos os aspectos. No final de 1999, estávamos em guerra total. Muitos de nós no PayPal trabalhávamos cem horas semanais. Sem dúvida aquilo era contraproducente, mas o foco não era a produtividade objetiva. O foco era derrotar a X.com. Um de nossos engenheiros chegou a projetar uma bomba com esse propósito. Ao apresentar o esquema em uma reunião de equipe, cabeças mais calmas prevaleceram, e a proposta foi atribuída à privação de sono extrema.

Mas em fevereiro de 2000, Elon e eu estávamos mais assustados com a bolha tecnológica em rápida inflação do que um com o outro: um colapso financeiro nos arruinaria antes que pudéssemos encerrar a luta. Assim, no início de março, nos reunimos num terreno neutro — um café quase equidistante dos nossos escritórios — e negociamos uma fusão de 50-50. Reduzir a rivalidade após a fusão não foi fácil, mas, apesar de todos os problemas, valeu a pena. Como uma equipe unificada, conseguimos escapar do crash das pontocom e depois construir uma empresa de sucesso.

Às vezes você tem de lutar. Quando isso ocorre, deve lutar e vencer. Não existe meio-termo: ou não dê nenhum murro, ou bata forte e termine rápido com isso.

Esse conselho pode ser difícil de seguir porque o orgulho e a honra podem atrapalhar. Daí as palavras de Hamlet:

> E expõe o que é mortal e precário
> A tudo que a Fortuna, a morte e o perigo engendram,
> Só por uma casca de ovo. Ser verdadeiramente grande,
> É não se agitar sem uma causa maior,
> Mas encontrar motivo de contenda numa palha
> Quando a honra está em jogo. *

* William Shakespeare. *Hamlet*. Tradução de Millôr Fernandes. Porto Alegre: L&PM, 1997

Para Hamlet, grandeza significa disposição em lutar por razões tão tênues como uma casca de ovo: *qualquer um* lutaria por coisas que importam; heróis verdadeiros levam tão a sério sua honra pessoal que lutariam por coisas que *não* importam. Essa lógica distorcida faz parte da natureza humana, mas é desastrosa nos negócios. Se você consegue reconhecer a concorrência como uma força destrutiva, e não um sinal de valor, já é mais sensato do que a maioria. O próximo capítulo é sobre como usar uma cabeça lúcida para desenvolver um negócio monopolista.

5

A VANTAGEM DE QUEM CHEGA POR ÚLTIMO

Escapar da concorrência lhe dará um monopólio, mas mesmo um monopólio só é um ótimo negócio se puder perdurar no futuro. Compare o valor da New York Times Company com o do Twitter. Ambas as empresas empregam poucos milhares de pessoas e fornecem a milhões de pessoas um meio de obter notícias. Mas, quando o Twitter abriu o capital em 2013, foi avaliado em 24 bilhões de dólares — *mais de 12 vezes* a capitalização de mercado da Times —, ainda que esta tenha lucrado 133 milhões de dólares em 2012, enquanto o Twitter *perdeu* dinheiro. O que explica a enorme vantagem do Twitter?

A resposta está no fluxo de caixa. Pode parecer estranho de início, já que a Times era rentável e o Twitter, não. Mas uma grande empresa é definida por sua capacidade de gerar fluxos de caixa *no futuro*. Os investidores esperam que o Twitter seja capaz de conquistar lucros monopolistas nos próximos dez anos, enquanto os dias do monopólio dos jornais chegaram ao fim.

Em termos simples, o valor de uma empresa hoje é a soma de todo o dinheiro que ela ganhará no futuro. (Para avaliar corretamente um negócio, você também precisa descontar aqueles fluxos de caixa futuros ao seu valor presente, já que uma dada quantia de dinheiro hoje vale mais do que a mesma quantia no futuro.)

A comparação de fluxos de caixa descontados mostra de forma bem nítida a diferença entre empresas de baixo crescimento e startups de alto crescimento. A maior parte do valor de empresas de crescimento lento está no curto prazo. Uma empresa da Velha Economia (um jornal, por exemplo) poderia conservar seu valor se conseguisse manter seus fluxos de caixa atuais por cinco ou seis anos. Porém, qualquer empresa com substituíveis próximos verá seus lucros reduzidos pela concorrência. Casas noturnas ou restaurantes são exemplos extremos: os de sucesso podem arrecadar boas quantias hoje, mas seus fluxos de caixa provavelmente minguarão nos próximos anos quando os clientes passarem para alternativas mais novas e que estejam mais na moda.

Empresas de tecnologia seguem a trajetória oposta. Elas *perdem* dinheiro nos primeiros anos: desenvolver coisas valiosas leva tempo, e isso significa receita retardada. A maior parte do valor de uma empresa de tecnologia virá ao menos 10 a 15 anos no futuro.

Em março de 2001, o PayPal ainda não dava lucro, mas nossas receitas vinham crescendo 100% ano após ano. Quando projetei nossos fluxos de caixa futuros, descobri que 75% do valor presente da empresa viria de lucros gerados em 2011 e além — difícil de acreditar para uma empresa que estava em funcionamento havia apenas 27 meses. Mas mesmo aquilo se mostrou uma subestimação. Atualmente, o PayPal continua crescendo uns 15% anualmente, e a taxa de desconto é menor do que uma década atrás. Agora parece que a maior parte do valor da empresa virá de 2020 adiante.

FLUXOS DE CAIXA EM VALORES ATUAIS DE UMA EMPRESA EM DECLÍNIO

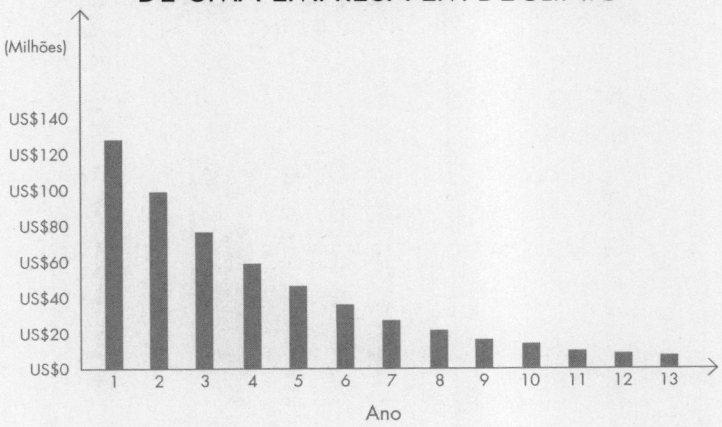

O LinkedIn é outro bom exemplo de uma empresa cujo valor existe no futuro remoto. No início de 2014, sua capitalização de mercado era de 24,5 bilhões de dólares — muito alta para uma empresa com receita inferior a um bilhão de dólares e somente 21,6 milhões de dólares de lucro líquido em 2012. Diante desses números, você poderia concluir que os investidores enlouqueceram. Mas essa avaliação faz sentido se você considera os fluxos de caixa futuros projetados do LinkedIn.

A importância esmagadora dos lucros futuros é contraintuitiva mesmo no Vale do Silício. Para ser valiosa, uma empresa precisa crescer *e perdurar*, mas muitos empresários enfocam apenas o crescimento de curto prazo. Eles têm uma justificativa: o crescimento é fácil de medir, mas a durabilidade, não. Aqueles que sucumbem à mania da medição ficam obcecados pelas estatísticas de usuários ativos semanais, metas de receita mensais e relatórios de rendimentos trimestrais. Entretanto, você pode atingir esses números e mesmo assim ignorar problemas mais profundos, difíceis de medir, que ameaçam a durabilidade de seu negócio.

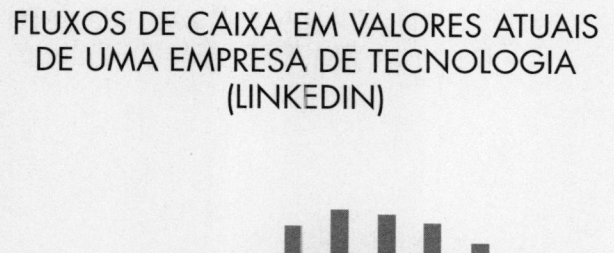

FLUXOS DE CAIXA EM VALORES ATUAIS DE UMA EMPRESA DE TECNOLOGIA (LINKEDIN)

Por exemplo, o rápido crescimento de curto prazo da Zynga e do Groupon desviou gerentes e investidores de desafios de longo prazo. A Zynga obteve vitórias iniciais com jogos como Farmville e alegou dispor de um "mecanismo psicométrico" para medir rigorosamente a atratividade de novos lançamentos. Mas acabou tendo o mesmo problema de todo estúdio de Hollywood: como conseguir produzir com segurança um fluxo constante de entretenimento popular para um público volúvel? (Ninguém sabe.) O Groupon anunciou um crescimento rápido enquanto centenas de milhares de empresas locais testavam seu produto. Mas persuadir aquelas empresas a se tornarem clientes habituais foi mais difícil do que pensavam.

Se você enfoca o crescimento de curto prazo acima de tudo, ignora a pergunta mais importante que deveria estar fazendo: *este negócio ainda existirá daqui a uma década?* Os número sozinhos não lhe darão a resposta: você precisa pensar criticamente sobre as características qualitativas de seu negócio.

CARACTERÍSTICAS DO MONOPÓLIO

Como é uma empresa com grandes fluxos de caixa num futuro distante? Cada monopólio é único, mas eles costumam compartilhar certa combinação das seguintes características: tecnologia proprietária, efeitos de rede, economia de escala e *branding*.

Não se trata de uma *checklist* para ajudar a desenvolver seu negócio — não existe atalho para o monopólio. Mas analisar seu negócio de acordo com essas características pode ajudá-lo a pensar em como torná-lo duradouro.

1. Tecnologia proprietária

A tecnologia proprietária é a vantagem mais substantiva de que uma empresa pode dispor, porque torna seu produto difícil ou impossível de replicar. Os algoritmos de busca do Google, por exemplo, produzem melhores resultados do que o de qualquer outra empresa. As tecnologias proprietárias para o carregamento das páginas em um tempo extremamente curto e a função de autocompletar bastante precisa contribuem para a robustez e defensabilidade do produto de busca. Seria dificílimo para qualquer um fazer com o Google o que o Google fez com todas as outras empresas de mecanismos de busca no início da década de 2000.

Como uma boa regra de bolso, a tecnologia proprietária deve ser ao menos dez vezes melhor do que seu substituto mais próximo em alguma dimensão importante para resultar em vantagem monopolista real. Qualquer coisa que não seja melhor em uma ordem de magnitude será provavelmente percebida como uma melhoria marginal e será difícil de vender, sobretudo em um mercado já apinhado.

A forma mais clara de obter uma melhoria de dez vezes é inventar algo completamente novo. Se você desenvolver algo novo, o aumento de valor será teoricamente infinito. Um remédio para eliminar com segurança a necessidade de dormir, ou uma cura para a calvície, por exemplo, certamente sustentariam um negócio monopolista.

Ou você pode melhorar radicalmente uma solução existente: sendo dez vezes melhor, você escapa da concorrência. O PayPal, por exemplo, tornou as compras e vendas no eBay ao menos dez vezes melhores. Em vez de enviarem um cheque que levaria de sete a dez dias para chegar, o PayPal permitia que os compradores pagassem assim que um leilão terminava. Os vendedores recebiam sua receita na hora, sem o risco de um cheque sem fundos.

A Amazon fez sua primeira melhoria de dez vezes de uma forma particularmente visível: oferecendo ao menos dez vezes mais livros do que qualquer outra livraria. Em seu lançamento em 1995, a Amazon podia se vangloriar de ser "a maior livraria da Terra" porque, diferente de uma livraria que poderia estocar 100 mil livros, a Amazon não precisava estocar fisicamente nenhum acervo — ela apenas solicitava o título de seu fornecedor sempre que um cliente fazia um pedido. Essa melhoria espetacular foi tão eficaz que a Barnes & Noble, muito insatisfeita, moveu um processo três dias antes do IPO da Amazon alegando que esta estava deslealmente se denominando "livraria" quando na verdade era uma "intermediária".

Você também pode fazer uma melhoria de dez vezes mediante um design integrado superior. Antes de 2010, os tablets eram tão sofríveis que, por todas as razões práticas, seu mercado sequer existia. Os produtos "Microsoft Windows XP Tablet PC Edition" foram primeiramente entregues em 2002, e a Nokia lançou o "Internet Tablet" em 2005, mas eram ruins de usar. Então a Apple lançou o iPad. Melhorias no design são difíceis de mensurar, mas parece claro que a Apple melhorou em relação a tudo que veio antes em ao menos uma ordem de grandeza: os tablets passaram de inutilizáveis a úteis.

2. Efeitos de rede

Os efeitos de rede tornam um produto mais útil à medida que mais pessoas o utilizam. Por exemplo, se todos os seus amigos estão no Facebook, faz sentido você também aderir. Escolher unilateralmente uma rede social diferente apenas o tornaria mais excêntrico.

Os efeitos de rede podem ser poderosos, mas você nunca se beneficiará deles se seu produto não for valioso para os primeiros usuários quando a rede é necessariamente pequena. Por exemplo, em 1960 uma empresa quixotesca chamada Xanadu começou a desenvolver uma rede de comunicações bidirecional entre todos os computadores — uma espécie de versão prematura, sincrônica, da World Wide Web. Após mais de três décadas de esforços inúteis, a Xanadu faliu exatamente quando a Web vinha se tornando comum. Sua tecnologia provavelmente teria funcionado, mas *somente* em grande escala: ela requeria que todos os computadores aderissem à rede ao mesmo tempo, e aquilo jamais iria ocorrer.

Paradoxalmente, empresas com efeitos de rede precisam começar com mercados especialmente pequenos. O Facebook começou apenas com estudantes de Harvard — o primeiro produto de Mark Zuckerberg buscava a adesão de todos os seus colegas de turma, não de todas as pessoas da Terra. Por isso os negócios de rede bem-sucedidos raramente são iniciados por pessoas com MBA: os mercados iniciais são tão pequenos que com frequência sequer parecem oportunidades de negócios.

3. Economia de escala

Um monopólio se fortalece à medida que cresce: os custos fixos para criar um produto (engenharia, administração, espaço de escritório) podem se diluir por quantidades crescentes de vendas. Startups de software podem desfrutar de economias de escala substanciais porque o custo marginal de produzir outra cópia do produto se aproxima de zero.

Muitas empresas adquirem apenas vantagens limitadas ao crescer para uma grande escala. É especialmente difícil que empresas de serviço se tornem monopólios. Se você tem um estúdio de ioga, por exemplo, só conseguirá atender a certo número de clientes. Pode contratar mais instrutores e se expandir para outros locais, mas suas margens permanecerão razoavelmente baixas e você nunca alcançará um ponto em que um grupo de pessoas talentosas possa oferecer algo de valor para milhões de clientes separados, como conseguem os engenheiros de software.

Uma boa startup deveria ter o potencial para a grande escala embutido em seu projeto inicial. O Twitter hoje já tem mais de 250 milhões de usuários. Ele não precisa acrescentar muitos recursos customizados para conquistar mais, e não há motivo inerente para algum dia parar de crescer.

4. Branding

Uma empresa tem, por definição, um monopólio sobre sua própria marca. Portanto, criar uma marca forte é um meio poderoso de reivindicar um monopólio. A marca de tecnologia mais forte hoje é a Apple: o aspecto atraente e os materiais cuidadosamente escolhidos para produtos como iPhone e MacBook; o design elegante e minimalista das Apple Stores; o controle atento da experiência do usuário; as campanhas publicitárias onipresentes; o posicionamento de preço como produtora de artigos de primeira qualidade e a persistência do carisma pessoal de Steve Jobs contribuem para uma percepção de que a Apple oferece produtos tão bons que constituem uma categoria própria.

Muitos tentaram aprender com o sucesso da Apple: anúncios pagos, lojas próprias, materiais luxuosos, discursos de lançamento bem-humorados, preços altos e até design minimalista são todos suscetíveis à imitação. Mas essas técnicas para polir a superfície não funcionam sem uma forte substância subjacente. A Apple possui um conjunto complexo de tecnologias proprietárias, tanto em hardware (materiais touchscreen superiores, por exemplo) como em software (interfaces touchscreen projetadas para materiais específicos, por exemplo). Ela fabrica produtos numa escala grande o suficiente para dominar a precificação dos materiais que compra. E desfruta fortes efeitos de rede de seu ecossistema de conteúdo: milhares de desenvolvedores projetam software para dispositivos da Apple porque é aí que estão centenas de milhões de usuários, e estes permanecem na plataforma porque é aí que estão os aplicativos. Essas outras vantagens monopolistas são menos óbvias do que a marca reluzente da Apple, mas são os fundamentos que permitem ao *branding* efetivamente reforçar o monopólio da Apple.

Começar pela marca em vez de pela substância é perigoso. Desde que se tornou CEO do Yahoo!, em meados de 2012, Marissa Mayer tem se esforçado para reviver esse outrora popular gigante da internet tornando-o cool novamente. Em um tweet, o Yahoo! sintetizou o plano de Mayer como uma reação em cadeia de "pessoas, depois produtos, depois tráfego, depois receita". Supõe-se que as pessoas aderirão por ser cool: o Yahoo! demonstrou estar atento ao design reformulando seu logotipo, declarou sua relevância entre os jovens adquirindo startups da moda como Tumblr e atraiu a atenção da mídia pelo próprio carisma de Mayer. Mas a grande pergunta é: quais produtos o Yahoo! efetivamente criará? Quando Steve Jobs retornou à Apple, não fez dela apenas um lugar legal para se trabalhar. Ele cortou linhas de produtos para se concentrar no punhado de oportunidades para melhorias de dez vezes. Nenhuma empresa de tecnologia pode se desenvolver somente a partir de *branding*.

DESENVOLVIMENTO DE UM MONOPÓLIO

Marca, escala, efeitos de rede e tecnologia em certa combinação definem um monopólio. Mas para fazê-los funcionar, você precisa escolher seu mercado com cuidado e expandir-se deliberadamente.

Comece pequeno e monopolize

Toda startup é pequena no início. Todo monopólio domina uma grande porção de seu mercado. *Portanto, toda startup deveria começar com um mercado bem pequeno.* Sempre peque pelo excesso no que diz respeito ao que é um mercado pequeno. O motivo é simples: é mais fácil dominar um mercado pequeno do que um grande. Se você acha que seu mercado inicial talvez seja grande demais, ele certamente é.

Pequeno não significa inexistente. Cometemos esse erro no início do PayPal. Nosso primeiro produto permitia às pessoas transmitirem dinheiro entre si via PalmPilots. Era uma tecnologia interessante, e ninguém mais estava fazendo aquilo. Porém, os milhões de usuários de PalmPilots do mundo não estavam concentrados num local específico, pouco tinham em comum e usavam seus dispositivos apenas esporadicamente. Ninguém precisava de nosso produto, portanto não tínhamos clientes.

Tendo aprendido essa lição, voltamos nossa atenção aos leilões do eBay, nos quais obtivemos nosso primeiro sucesso. No final de 1999, o eBay dispunha de alguns milhares de "PowerSellers" — vendedores com maior aprovação dos consumidores de eBay — de alto volume, e após apenas três meses de esforço dedicado estávamos atendendo a 25% deles. Foi bem mais fácil alcançar alguns milhares de pessoas que realmente precisavam de nosso produto do que tentar competir pela atenção de milhões de indivíduos dispersos.

O mercado-alvo perfeito para uma startup são algumas pessoas específicas concentradas juntas e servidas por poucos ou nenhum concorrente. Qualquer mercado grande é uma má escolha, e um mercado grande já atendido por empresas concorrentes é ainda pior. Por isso é sempre um sinal de perigo quando empresários falam em conquistar 1% de um mercado de 100 bilhões de dólares. Na prática, um mercado grande carecerá de um bom ponto de partida ou estará aberto à concorrência, sendo portanto difícil atingir mesmo aquele 1%. E ainda que você consiga se estabelecer, não irá muito longe: a competição implacável fará com que seus lucros sejam próximos de zero.

Aumento da escala

Uma vez que você crie e domine um mercado de nicho, deve gradualmente se expandir para mercados afins e ligeiramente maiores. A Amazon mostra como isso pode ser feito. A visão fundadora de Jeff Bezos foi dominar todo o comércio varejista on-line, mas ele deliberadamente começou pelos livros. Havia milhões deles por catalogar, mas todos tinham mais ou menos o mesmo formato, eram fáceis de expedir, e alguns dos livros mais raramente vendidos — os menos rentáveis para qualquer loja varejista manter em estoque — também atraíam os clientes mais entusiasmados. A Amazon tornou-se a solução dominante para qualquer um localizado longe de uma livraria ou buscando algo incomum. Ela então tinha duas opções: expandir o número de pessoas que liam livros ou se expandir para mercados adjacentes. Optou pela segunda, começando com os mercados mais similares: CDs, vídeos e software. A Amazon continuou acrescentando categorias gradualmente até que se tornou a loja de artigos em geral do mundo. O próprio nome condensava brilhantemente a estratégia de aumento de escala da empresa. A biodiversidade da úmida floresta amazônica refletia o primeiro objetivo da Amazon, que era catalogar todos os livros do mundo, e agora representa todo tipo de coisa no mundo, e ponto.

O eBay também começou dominando pequenos mercados de nicho. Quando lançou seu mercado de leilões em 1995, não precisava que o mundo inteiro o adotasse de uma só vez. O produto funcionou bem para grupos de interesses intensos, como obcecados por bichos de pelúcia Beanie Baby. Uma vez monopolizado o comércio de Beanie Babys, o eBay não se precipitou incluindo no catálogo carros esportivos ou excedentes industriais. Continuou atendendo a pequenos adeptos de hobbies até se tornar o mercado mais confiável para pessoas negociando on-line qualquer item.

Às vezes existem obstáculos ocultos ao aumento de escala — uma lição que o eBay aprendeu nos últimos anos. Como todos os mercados, o de leilões se prestava ao monopólio natural, porque os compradores vão onde os vendedores estão, e vice-versa. Mas o eBay descobriu que o modelo do leilão funciona melhor para produtos individualmente diferenciados, como moedas e selos. Não funciona tão bem para produtos padronizados: as pessoas não querem dar lances para lápis ou lenços de papel, sendo, portanto, mais conveniente comprá-los na Amazon. O eBay continua um monopólio valioso, só que menor do que as pessoas em 2004 esperavam.

Sequenciar os mercados corretamente costuma ser subestimado, e é preciso disciplina para se expandir gradualmente. As empresas de maior sucesso fazem da progressão central — primeiro dominar um nicho específico e depois aumentar a escala para mercados adjacentes — parte de sua narrativa fundadora.

Não pense em disrupção

O Vale do Silício se tornou obcecado pela "disrupção". Originalmente, "disrupção" era um termo técnico para descrever como uma empresa pode usar tecnologia nova para introduzir um produto popular a preços baixos, melhorar o produto gradualmente e acabar superando mesmo os produtos de qualidade ou valor superior, oferecidos por empresas tradicionais, usando tecnologia mais antiga. Foi mais ou menos isso o que ocorreu quando o advento de PCs abalou o mercado de mainframes: de início, os PCs pareceram irrelevantes, depois se tornaram dominantes. Atualmente os dispositivos móveis podem estar fazendo a mesma coisa com os PCs.

No entanto, disrupção recentemente se metamorfoseou em um jargão autocongratulatório para qualquer coisa que se faz passar por nova e moderna. Esse modismo aparentemente trivial importa porque distorce a autocompreensão de um empresário de uma forma intrinsecamente competitiva. O conceito foi cunhado para descrever ameaças às empresas tradicionais, então, a obsessão das startups com a disrupção significa que elas se veem pelos olhos das empresas mais antigas. Se você se imagina como um insurgente combatendo forças do mal, é fácil ficar excessivamente focado nos obstáculos em seu caminho. Mas se você realmente quer fazer algo novo, o ato de criação é bem mais importante do que as velhas indústrias que podem não gostar do que você criar. Na verdade, se sua empresa pode ser sintetizada por sua oposição a outras já existentes, não pode ser completamente nova e provavelmente não se tornará um monopólio.

A disrupção também chama a atenção: pessoas disruptoras procuram confusão e acham. Crianças diruptivas são mandadas à sala do diretor. Empresas diruptivas muitas vezes provocam brigas que não conseguem vencer. Shawn Fanning e Sean Parker, os fundadores do Napster quando adolescentes, ameaçaram ser os disruptores da poderosa indústria fonográfica em 1999. No ano seguinte, estamparam a capa da revista *Time*. E um ano e meio depois, foram parar no tribunal de falências.

O PayPal podia ser visto como disruptor, mas nós não tentamos desafiar diretamente nenhum concorrente grande. É verdade que privamos a Visa de alguns negócios quando popularizamos os pagamentos por internet: você pode usar o PayPal para comprar algo on-line em vez do cartão Visa para comprá-lo em uma loja. Mas como expandimos o mercado para pagamentos de uma forma geral, demos à Visa muito mais negócios do que retiramos. A dinâmica como um todo foi positiva, ao contrário da luta de soma negativa do Napster com a indústria fonográfica norte-americana. Ao forjar um plano para se expandir nos mercados adjacentes, não seja disruptor: evite a competição o máximo possível.

OS ÚLTIMOS SERÃO OS PRIMEIROS

Você provavelmente já ouviu falar da "vantagem do pioneiro": se você é o primeiro a entrar num mercado, pode conquistar uma grande participação nele enquanto os concorrentes lutam para se pôr em marcha. Mas sair na frente é uma tática, não uma meta. O que realmente importa é gerar fluxos de caixa no futuro, de modo que ser pioneiro não traz nenhum benefício se outra pessoa aparecer e o desalojar. É bem melhor ser o *último* — ou seja, fazer o último grande progresso num mercado específico e desfrutar anos ou mesmo décadas de lucros monopolistas. A forma de fazê-lo é dominar um nicho pequeno e aumentar a escala a partir dali, rumo à sua visão ambiciosa de longo prazo. Neste aspecto particular, ao menos, os negócios são como o xadrez. O grande mestre José Raúl Capablanca o exprime bem: para ter sucesso, "você precisa estudar o fim do jogo antes de qualquer outra coisa".

6

VOCÊ NÃO É UM BILHETE DE LOTERIA

A PERGUNTA MAIS CONTROVERSA nos negócios é se o sucesso advém da sorte ou da habilidade.

O que dizem os bem-sucedidos? Malcolm Gladwell, um escritor famoso que escreve sobre pessoas bem-sucedidas, declara em *Fora de série* que o sucesso resulta de uma "colcha de retalhos de boas oportunidades e vantagens arbitrárias". Warren Buffett notoriamente se considera "membro de um clube de espermatozoides afortunados" e um vencedor da "loteria ovariana". Jeff Bezos atribui o sucesso da Amazon a um "alinhamento planetário incrível" e brinca que foi "metade sorte, metade timing, e o resto cérebro". Bill Gates chega ao ponto de afirmar que ele "teve a sorte de nascer com certas habilidades", embora não esteja claro se isso é realmente possível.

Talvez esses sujeitos estejam sendo estrategicamente humildes. No entanto, o fenômeno do empreendedorismo em série questiona nossa tendência a explicar o sucesso como o produto do acaso. Centenas de pessoas abriram várias empresas multimilionárias. Umas poucas, como Steve Jobs, Jack Dorsey e Elon Musk, criaram diversas empresas multi*bilionárias*. Se o sucesso fosse principalmente uma questão de sorte, esses tipos de empreendedores em série provavelmente nem existiriam.

Em janeiro de 2013, Jack Dorsey, fundador do Twitter e do Square, twittou para seus 2 milhões de seguidores: "O sucesso nunca é acidental."

A maioria das respostas foi inequivocamente negativa. Em referência ao tweet em *The Atlantic*, o repórter Alexis Madrigal escreveu que seu instinto foi responder: "'O sucesso nunca é acidental', disseram todos os homens brancos multimilionários." É verdade que pessoas já bem-sucedidas têm mais facilidade em criar coisas novas, seja graças a suas redes, riqueza ou experiência. Mas talvez nos tornamos rápidos demais em descartar qualquer um que afirme que seu sucesso se deveu a um plano.

Existe um meio de esclarecer esse debate de maneira objetiva? Infelizmente não, porque empresas não são experimentos. Para obter uma resposta científica sobre o Facebook, por exemplo, teríamos de retroceder para 2004, criar mil cópias do mundo e começar o Facebook em cada cópia para ver quantas vezes daria certo. Mas tal experimento é impossível. Cada empresa começa em circunstâncias únicas, e começa uma só vez. As estatísticas não funcionam quando o tamanho da amostra é um.

Do Renascimento ao Iluminismo e depois até meados do século XX, a sorte era algo a ser conquistado, dominado e controlado. Todos concordavam que você deveria fazer o que podia, não enfocar o que não podia. Ralph Waldo Emerson captou esse éthos quando escreveu: "Homens superficiais acreditam na sorte, acreditam nas circunstâncias. [...] Homens fortes acreditam em causa e efeito." Em 1912, após se tornar o primeiro explorador a chegar ao Polo Sul, Roald Amundsen escreveu: "A vitória aguarda aquele que tem tudo em ordem — sorte é como as pessoas chamam isso." Ninguém estava querendo dizer que o azar não existia, mas as gerações anteriores acreditavam em criar sua própria sorte trabalhando duro.

Se você acredita que sua vida é sobretudo uma questão de sorte, por que ler este livro? Aprender sobre startups é inútil se você anda lendo histórias sobre pessoas que ganham na loteria. *Caça-níqueis para leigos* pode se propor a contar qual tipo de pé de coelho dá mais sorte ou como identificar máquinas caça-níqueis mais "quentes", mas não pode dizer como vencer.

Teria Bill Gates simplesmente vencido na loteria da inteligência? Teria Sheryl Sandberg nascido em berço de ouro, ou ela "fez acontecer"? Quando debatemos questões históricas como essas, a sorte está no tempo passado. Bem mais importantes são perguntas sobre o futuro: é uma questão de acaso ou projeto?

VOCÊ CONSEGUE CONTROLAR SEU FUTURO?

Você pode esperar que o futuro assuma uma forma definida ou pode tratá-lo como obscuramente incerto. Se tratar o futuro como algo definido, faz sentido entendê-lo de antemão e tentar moldá-lo. Mas, se você espera um futuro indefinido, regido pela aleatoriedade, desistirá de tentar dominá-lo.

Atitudes indefinidas em relação ao futuro explicam o que é mais desequilibrado em nosso mundo atual. O processo excede a substância: quando as pessoas carecem de planos concretos, usam regras formais para montar um portfólio de diferentes opções. Isso descreve os norte-americanos hoje. No ensino fundamental, somos encorajados a começar a acumular "atividades extracurriculares". No ensino médio, alunos ambiciosos competem ainda mais para parecer onicompetentes. No momento em que um estudante chega à faculdade, passou uma década montando um currículo espantosamente diversificado preparando-se para um futuro completamente incognoscível. Venha o que vier, ele está pronto — para nada em particular.

Já uma visão determinada favorece convicções firmes. Em vez de perseguir a mediocridade multifacetada e dizer que tem uma formação "abrangente", uma pessoa determinada decide o que é melhor fazer e depois faz. Em vez de se esforçar para se tornar indistinguível, procura ser grande em algo substantivo — ser um monopólio único. Não é o que os jovens fazem hoje, porque todos à sua volta há tempos perderam a fé num mundo definido. Ninguém entra em Stanford por se destacar em apenas uma coisa, a não ser que essa coisa envolva lançar e agarrar uma bola de couro.

	DEFINIDO	INDEFINIDO
OTIMISTA	EUA, 1950-60	EUA, 1982-presente
PESSIMISTA	China, presente	Europa, presente

Você também pode esperar que o futuro seja melhor ou pior do que o presente. Os otimistas acolhem o futuro; os pessimistas o temem. Combinar essas possibilidades gera quatro pontos de vista:

Pessimismo indefinido

Toda cultura possui um mito de declínio de alguma era de ouro, e quase todas as pessoas através da história têm sido pessimistas. Mesmo hoje o pessimismo domina grande parte do mundo. Um *pessimista indefinido* prevê um futuro sombrio, mas não tem ideia de como reagir. Isso descreve a Europa desde o início da década de 1970, quando o continente sucumbiu à deriva burocrática desgovernada. Atualmente a zona do euro inteira está em crise em câmara lenta, e ninguém está no comando. O Banco Central Europeu nada representa além de improvisação: o Tesouro norte-americano imprime "In God We Trust" [Em Deus nós confiamos] no dólar; o Banco Central Europeu poderia estampar "Kick the Can Down the Road"* no euro. Os europeus apenas reagem aos eventos à medida que eles ocorrem e esperam que as coisas não piorem. O pessimista indefinido não consegue saber se o declínio inevitável será rápido ou lento, catastrófico ou gradual. Tudo que pode fazer é aguardar que aconteça, podendo nesse ínterim comer, beber e se divertir: daí a famosa mania de férias da Europa.

Pessimismo definido

Um *pessimista definido* acredita que o futuro pode ser conhecido, mas já que será sombrio, precisa se preparar para ele.

---

* Expressão norte-americana que significa protelar a resolução de um problema difícil. A tradução literal seria "Chute a lata pela estrada". (N. E.)

Talvez seja uma surpresa a China provavelmente ser o lugar mais claramente pessimista do mundo hoje. Quando os americanos veem a economia chinesa crescer a uma velocidade feroz (10% ao ano desde 2000), imaginamos um país confiante dominando seu futuro. Mas isso é porque os americanos ainda são otimistas e projetam seu otimismo na China. Do ponto de vista da China, o crescimento econômico não consegue ser rápido o suficiente. Todos os outros países temem que a China venha a dominar o mundo. A China é o único país que teme que não será assim.

A China só consegue crescer rápido assim porque seu ponto de partida é muito baixo. A forma mais fácil de a China crescer é copiar incessantemente o que já funcionou no Ocidente. E é exatamente isso que vem fazendo: executando planos definidos, queimando ainda mais carvão para construir ainda mais fábricas e arranha-céus. Mas, com uma enorme população fazendo aumentar ainda mais os preços dos recursos, não há como os padrões de vida chineses algum dia realmente alcançarem aqueles dos países mais ricos, e os chineses sabem disso.

É por essa razão que a liderança chinesa está obcecada pela maneira como as coisas ameaçam piorar. Todo líder chinês veterano experimentou a fome quando criança. Assim, quando o Politburo olha para o futuro, o desastre não é uma abstração. O público chinês também sabe que o inverno está chegando. Os estrangeiros estão fascinados com as grandes fortunas amealhadas dentro da China, mas prestam menos atenção aos chineses ricos tentando de toda forma tirar seu dinheiro do país. Os chineses mais pobres simplesmente poupam tudo que podem e esperam que seja suficiente. Todo tipo de pessoa na China leva o futuro mortalmente a sério.

Otimismo definido

Para um *otimista definido*, o futuro será melhor do que o presente se ele planejar e trabalhar para torná-lo melhor. Do século XVII até os anos 1950 e 1960, os otimistas definidos lideraram o mundo ocidental. Cientistas, engenheiros, médicos e homens de negócios tornaram o mundo mais rico, saudável e longevo do que antes era imaginável. Como Karl Marx e Friedrich Engels viram claramente, a classe comercial do século XIX

> criou forças produtivas mais poderosas e colossais do que todas as gerações precedentes juntas. A sujeição das forças da natureza ao homem, maquinário, aplicação da química à indústria e agricultura, navegação a vapor, ferrovias, telégrafos elétricos, exploração de continentes inteiros para o cultivo, canalização de rios, populações inteiras brotadas da terra como por encanto — que século anterior teria suspeitado que semelhantes forças produtivas estivessem adormecidas no seio do trabalho social?

Inventores e visionários de cada geração superaram seus predecessores. Em 1843, o público londrino foi convidado para sua primeira travessia por baixo do Rio Tâmisa num túnel recém-escavado. Em 1869, o Canal de Suez evitou que o tráfego marítimo eurasiano tivesse de contornar o Cabo da Boa Esperança. Em 1914, o Canal do Panamá reduziu a rota do Atlântico ao Pacífico. Nem a Grande Depressão impediu o progresso incessante dos Estados Unidos, que sempre abrigou os otimistas definidos mais visionários do mundo. O Empire State Bulding começou a ser construído em 1929 e ficou pronto em 1931. A obra da Golden Gate Bridge começou em 1933 e terminou em 1937. O Projeto Manhattan teve início em 1941 e já havia produzido a primeira bomba nuclear do mundo em 1945. Os americanos continuaram reformulando a face do mundo em tempos de paz: o sistema rodoviário Interstate Highway System começou a ser construído em 1956 e os primeiros 32,2 mil quilômetros de estrada foram abertos ao tráfego em 1965. O planejamento definido chegou a transcender a superfície deste planeta: o Programa Apollo da Nasa começou em 1961 e levou 12 homens à Lua antes de se encerrar em 1972.

Planos ousados não se restringiram aos líderes políticos ou cientistas do governo. No final da década de 1940, um californiano chamado John Reber pôs-se a reinventar a geografia física de toda a Bay Area de São Francisco. Reber era professor, produtor de teatro amador e engenheiro autodidata. Não se detendo pela falta de credenciais, publicamente propôs erguer duas enormes barragens na baía, construir enormes lagos de água doce para obtenção de água potável e irrigação e aproveitar 8.100 hectares de terras para construção civil. Embora ele não tivesse nenhuma autoridade pessoal, as pessoas levaram o Plano Reber a sério. Ele foi endossado por conselhos editoriais de jornais em toda a Califórnia. O Congresso Americano realizou audiências sobre sua viabilidade. O Corpo de Engenheiros do Exército chegou a construir um modelo em escala da baía, com 0,6 hectare, num depósito cavernoso em Sausalito para simulá-lo. Os testes revelaram deficiências técnicas, de modo que o plano não foi executado.

Mas será que alguém hoje em dia levaria tal visão a sério? Nos anos 1950, as pessoas acolhiam planos grandiosos e se perguntavam se iriam funcionar. Atualmente um plano ambicioso de um professor de escola seria desprezado e considerado loucura, e uma visão de longo prazo de alguém mais poderoso seria ridicularizada como excesso de arrogância. Ainda é possível visitar o modelo do Plano Reber em Sausalito, mas hoje não passa de atração turística: planos grandiosos para o futuro tornaram-se curiosidades arcaicas.

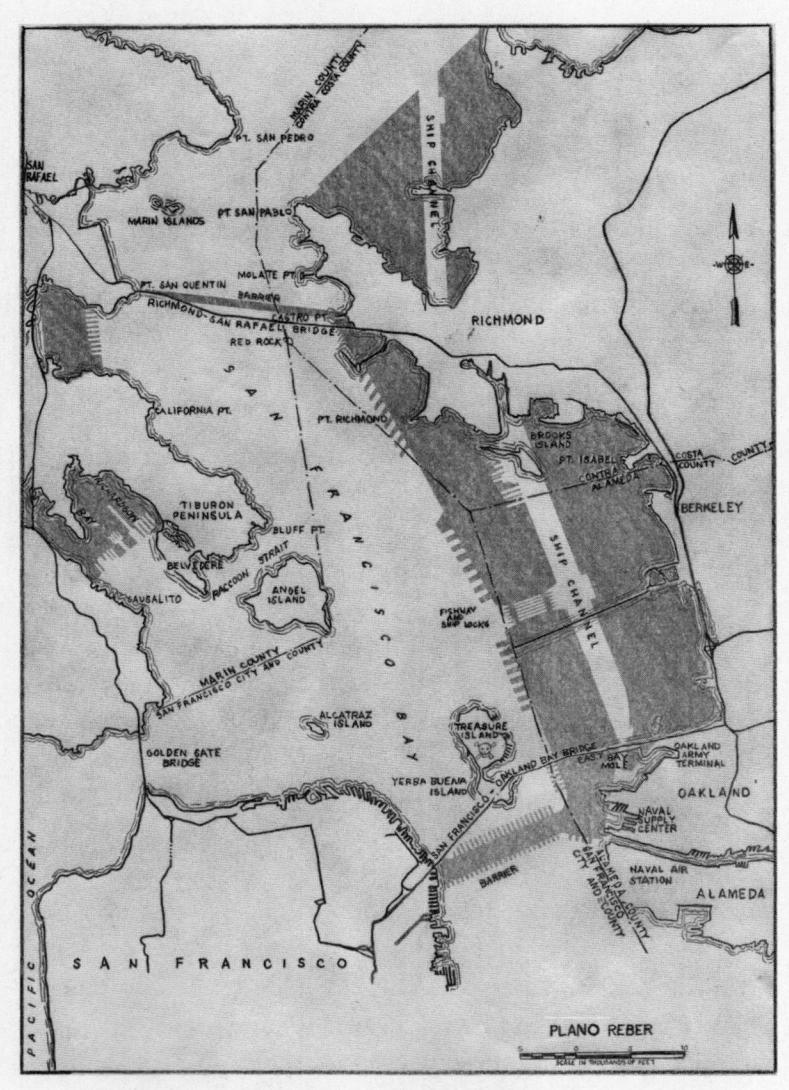

Nos anos 1950, os norte-americanos achavam que grandes planos para o futuro eram importantes demais para serem deixados apenas para os especialistas.

Otimismo indefinido

Após uma breve fase pessimista na década de 1970, o otimismo indefinido tem dominado o pensamento norte-americano desde 1982, quando começou um longo mercado em alta [bull market] e as finanças ofuscaram a engenharia como abordagem do futuro. Para um otimista indefinido, o futuro será melhor, mas ele não sabe como exatamente, por isso não fará planos específicos. Ele espera lucrar com o futuro, mas não vê motivos para projetá-lo concretamente.

Em vez de trabalhar durante anos para criar um produto novo, os otimistas indefinidos reformulam produtos já inventados. Banqueiros ganham dinheiro reformulando as estruturas de capital de empresas já existentes. Os advogados resolvem litígios por coisas antigas ou ajudam outras pessoas a estruturarem seus negócios. E investidores em ações privados e consultores gerenciais não abrem empresas novas. Preferem extrair eficiência extra de empresas velhas com otimizações incessantes de procedimentos. Não surpreende que esses campos atraiam números desproporcionais de caçadores de opções de alto desempenho das universidades de elite. Haveria melhor recompensa para duas décadas de enriquecimento de currículo do que uma carreira aparentemente de elite, orientada para processos, que promete "manter as opções em aberto"?

Os pais dos recém-formados costumam incentivá-los para o caminho consagrado. A história estranha do Baby Boom* produziu uma geração de otimistas indefinidos tão habituados ao progresso sem esforço que se sentem no direito de usufruí-lo. Quer você tenha nascido em 1945, 1950 ou 1955,

---

* Período de alta natalidade no pós-guerra (1946-1964) nos Estados Unidos. A geração nascida nesse período é conhecida como baby boomer. (N. T.)

as coisas melhoraram a cada ano nos primeiros dezoito anos de sua vida, *sem que você contribuísse para isso*. O avanço tecnológico parecia se acelerar automaticamente, de modo que a geração *baby boomer* cresceu com grandes expectativas, mas poucos planos específicos de como realizá-las. Depois, quando o progresso tecnológico cessou na década de 1970, a crescente desigualdade de renda veio salvar os *baby boomers* mais de elite. Cada ano de vida adulta continuava automaticamente melhorando para os ricos e bem-sucedidos. O resto de sua geração foi deixada para trás, mas os *baby boomers* mais ricos, que moldam a opinião pública atual, veem poucos motivos para questionar seu otimismo ingênuo. Como as carreiras que buscaram funcionaram para eles, não conseguem imaginar que não funcionarão para seus filhos também.

Malcolm Gladwell diz que não dá para entender o sucesso de Bill Gates sem entender seu contexto pessoal afortunado: ele cresceu numa boa família, foi para uma escola particular equipada com um laboratório de computação e teve Paul Allen como amigo de infância. Mas talvez não dê para entender Malcolm Gladwell sem entender *seu* contexto histórico como um *baby boomer* (nascido em 1963). Quando os *baby boomers* crescem e escrevem livros sobre por que um ou outro indivíduo tem sucesso, apontam para o poder do contexto de um indivíduo específico como determinado pelo acaso. Mas ignoram o contexto social ainda maior para suas próprias explicações favoritas: toda uma geração aprendeu desde a infância a superestimar o poder do acaso e subestimar a importância do planejamento. Gladwell de início parece estar fazendo uma crítica contestadora ao mito do homem de negócios que se fez por si mesmo, mas na verdade seu próprio relato condensa a visão convencional de uma geração.

NOSSO MUNDO INDEFINIDAMENTE OTIMISTA

Finanças indefinidas

Enquanto um futuro definidamente otimista requereria engenheiros para projetar cidades submarinas e povoações no espaço, um futuro indefinidamente otimista pede mais banqueiros e advogados. As finanças exemplificam o pensamento indefinido por ser o único meio de ganhar dinheiro quando você não tem a menor ideia de como criar riqueza. Se não cursaram a Faculdade de Direito, os bacharéis brilhantes das faculdades vão para Wall Street precisamente por não terem nenhum plano real para suas carreiras. E uma vez chegados ao Goldman Sachs, descobrem que mesmo para quem está *dentro* do mercado tudo é indefinido. Ainda assim é uma perspectiva otimista — você não apostaria nos mercados se esperasse perder —, mas o princípio fundamental é que o mercado é aleatório. Não dá para saber nada de específico ou substantivo, e a diversificação assume suprema importância.

A indefinição das finanças pode ser estranha. Pense no que acontece quando empresários de sucesso vendem sua empresa. O que fazem com o dinheiro? Num mundo financializado, acontece o seguinte:

- Os fundadores não sabem o que fazer com ele, de modo que o entregam a um grande banco.
- Os banqueiros não sabem o que fazer com ele, de modo que diversificam distribuindo-o por uma carteira de investidores institucionais.
- Os investidores institucionais não sabem o que fazer com seu capital gerido, de modo que diversificam acumulando uma carteira de ações.

- As empresas procuram aumentar o preço de suas ações gerando fluxos de caixa livres. Se o fazem, distribuem dividendos ou recompram ações, e o ciclo se repete.

Em nenhum ponto alguém na cadeia sabe o que fazer com o dinheiro na economia real. Mas num mundo indefinido, as pessoas realmente *preferem* a opção ilimitada. O dinheiro é mais valioso que qualquer coisa que você pudesse fazer com ele. Somente num futuro definido o dinheiro é um meio para um fim, não um fim em si mesmo.

Política indefinida

Os políticos sempre prestaram contas ao público em época de eleição, mas agora estão sintonizados com o que o público pensa *a cada momento*. As pesquisas de opinião modernas permitem aos políticos ajustarem sua imagem exatamente à opinião pública preexistente, e é isso que eles costumam fazer. As previsões eleitorais de Nate Silver são de uma precisão notável, mas ainda mais notável é a importância que assumem a cada quatro anos. Previsões estatísticas do que o país estará pensando daqui a algumas semanas atualmente nos fascinam mais que previsões visionárias de como o país será daqui a dez ou vinte anos.

E não é apenas o processo eleitoral — a própria natureza do governo tornou-se indefinida também. O governo costumava ser capaz de coordenar soluções complexas para problemas como armamento atômico e exploração lunar. Mas hoje, após quarenta anos de rastejamento indefinido, o governo quase só fornece seguro. Nossas soluções aos grandes problemas são seguro-saúde, assistência social e uma série estonteante de outros programas de governo. Não surpreende que os gastos com benefícios sociais tenham eclipsado os gastos discricionários anualmente desde 1975. Para aumentar os gastos discricionários precisaríamos de planos definidos para resolver problemas específicos. Mas de acordo com a lógica indefinida dos gastos com benefícios sociais, podemos melhorar as coisas simplesmente distribuindo mais cheques.

Filosofia indefinida

Dá para perceber a mudança para uma atitude indefinida não apenas em política, mas nos filósofos políticos cujas ideias sustentam tanto a esquerda quanto a direita.

A filosofia do mundo antigo era pessimista: Platão, Aristóteles, Epicuro e Lucrécio aceitavam limites rigorosos ao potencial humano. A única questão era como enfrentar melhor nosso destino trágico. Os filósofos modernos foram predominantemente otimistas. De Herbert Spencer à direita a Hegel no centro e Marx à esquerda, o século XIX compartilhou uma crença no progresso. (Lembre-se do encômio de Marx e Engels aos triunfos tecnológicos do capitalismo da página 72.) Esses pensadores esperavam avanços materiais para mudar fundamentalmente a vida humana para melhor: eram otimistas definidos.

No final do século XX, filosofias indefinidas tornaram-se proeminentes. Os dois pensadores políticos dominantes, John Rawls e Robert Nozick, costumam ser vistos como o extremo oposto um do outro: na esquerda igualitária, Rawls estava preocupado com questões de equidade e distribuição. No lado libertário de direita, Nozick enfocou a maximização da liberdade individual. Ambos acreditavam que as pessoas podiam conviver entre si pacificamente, sendo portanto, ao contrário dos filósofos antigos, otimistas. Mas ao contrário de Spencer ou Marx, Rawls e Nozick foram otimistas *indefinidos*: careciam de uma visão específica do futuro.

	DEFINIDO	INDEFINIDO
OTIMISTA	Hegel, Marx	Nozick, Rawls
PESSIMISTA	Platão, Aristóteles	Epicuro, Lucrécio

Sua indefinição tomou formas diferentes. *Uma teoria da justiça* de Rawls começa com o famoso "véu da ignorância": supõe-se que o raciocínio político justo seja impossível a qualquer um com conhecimento do mundo como existe concretamente. Em vez de tentar mudar nosso mundo real de pessoas singulares e tecnologias reais, Rawls imaginou uma sociedade "intrinsecamente estável" com muita equidadade, mas pouco dinamismo. Nozick opôs-se ao conceito "padronizado" de justiça de Rawls. Para Nozick, qualquer intercâmbio voluntário deve ser permitido, e nenhum padrão social poderia ser nobre o suficiente para justificar a manutenção por coerção. Assim como Rawls, ele não tinha nenhuma ideia concreta sobre a sociedade justa: ambos enfocaram o processo. Atualmente, exageramos as diferenças entre o igualitarismo liberal de esquerda e o individualismo libertário porque quase todos compartilham suas atitudes indefinidas em comum. Em filosofia, política e negócios também, discutir o processo tornou-se um meio de adiar incessantemente planos concretos para um futuro melhor.

Vida indefinida

Os nossos ancestrais procuraram entender e estender a expectativa de vida humana. No século XVI, os conquistadores procuraram a Fonte da Juventude nas selvas da Flórida. Francis Bacon escreveu que "o prolongamento da vida" deveria ser considerado um ramo próprio da medicina — e o mais nobre. Na década de 1660, Robert Boyle colocou a extensão da vida (com "a recuperação da juventude") no topo de sua famosa lista de desejos para o futuro da ciência. Seja pela exploração geográfica ou pesquisa em laboratório, as melhores mentes do Renascimento pensavam na morte como algo por derrotar. (Alguns combatentes foram mortos em ação: Bacon pegou pneumonia e morreu em 1626 durante um experimento para ver se conseguia prolongar a vida de um frango congelando-o na neve.)

Ainda não desvendamos os segredos da vida, mas os seguradores e estatísticos no século XIX revelaram com sucesso um segredo sobre a morte que continua governando nosso pensamento atual: descobriram como reduzi-la a uma probabilidade matemática. As "tábuas de mortalidade" informam nossas chances de morrer em qualquer dado ano, algo que as gerações anteriores não conheciam. Todavia, em troca de melhores contratos de seguro, parece que desistimos da busca pelos segredos da longevidade. O conhecimento sistemático da faixa atual das expectativas de vida humanas fez com que tal faixa parecesse natural. Atualmente nossa sociedade está impregnada das ideias análogas de que a morte é inevitável e aleatória.

Nesse ínterim, atitudes probabilísticas passaram a moldar a agenda da própria biologia. Em 1928, o cientista escocês Alexander Fleming descobriu que um misterioso fungo antibacteriano se desenvolvera numa placa de Petri que esquecera de cobrir em seu laboratório: ele descobriu a penicilina por acaso. Os cientistas procuraram aproveitar o poder do acaso desde então. A descoberta moderna de remédios busca ampliar as circunstâncias afortunadas de Fleming um milhão de vezes: empresas farmacêuticas pesquisam mediante combinações aleatórias de compostos químicos moleculares, esperando dar uma tacada certa.

Mas a coisa não vem funcionando tão bem quanto antes. Apesar de avanços substanciais nos dois últimos séculos, nas últimas décadas a biotecnologia não correspondeu às expectativas dos investidores — ou pacientes. A lei de Eroom — que é a lei de Moore de trás para frente — observa que o número de novos remédios aprovados por bilhão de dólares gastos em pesquisa e desenvolvimento caiu para a metade a cada nove anos desde 1950. Como a tecnologia da informação acelerou mais do que nunca durante aqueles mesmos anos, a grande pergunta para a biotecnologia hoje é se algum dia verá um progresso semelhante. Compare as startups de biotecnologia com suas congêneres em software de computadores:

	Startups de biotecnologia	Startups de software
Objeto	Organismos incontroláveis	Código perfeitamente determinado
Ambiente	Pouco compreendido, natural	Bem compreendido, artificial
Abordagem	Indefinida, aleatória	Definida, engenharia
Regulação	Altamente regulamentada	Basicamente desregulamentada
Custo	Cara (> US$ 1bi por medicamento)	Barata (um pouco de capital semente)
Equipe	Altos salários, parasitas de laboratório desalinhados	Aficionados empresariais empenhados

As startups de biotecnologia são um exemplo extremo de pensamento indefinido. Os pesquisadores experimentam coisas que poderiam eventualmente funcionar, em vez de refinarem teorias definidas de como os sistemas do corpo funcionam. Os biólogos dizem que precisam trabalhar assim porque a biologia subjacente é difícil. De acordo com eles, as startups de TI funcionam porque nós próprios criamos os computadores e os projetamos para obedecerem confiavelmente aos nossos comandos. A biotecnologia é difícil porque nós não projetamos nossos corpos, e quanto mais aprendemos sobre eles, mais complexos se revelam.

Mas hoje em dia é possível questionar se a dificuldade genuína da biologia tornou-se uma desculpa para a abordagem indefinida das startups de biotecnologia aos negócios em geral. A maioria das pessoas envolvida espera que alguma coisa acabe funcionando, mas poucas querem se comprometer com uma empresa específica com o nível de intensidade necessário ao sucesso. Isso começa com os professores que com frequência se tornam consultores em horário parcial, em vez de funcionários em horário integral — mesmo para as startups de biotecnologia que partem de suas próprias pesquisas. Depois, todos os outros imitam a atitude indefinida dos professores. É fácil para os libertários alegar que regulamentações pesadas refreiam a biotecnologia — o que é verdade —, mas o otimismo indefinido pode representar um desafio ainda maior para o futuro da biotecnologia.

O OTIMISMO INDEFINIDO PODE SER POSSÍVEL?

Que tipo de futuro nossas decisões indefinidamente otimistas trarão? Se os lares norte-americanos estivessem poupando, ao menos poderiam esperar dispor de dinheiro para gastar depois. E, se as empresas norte-americanas estivessem investindo, poderiam esperar colher as recompensas da nova riqueza no futuro. Mas os lares norte-americanos estão poupando quase nada. E as empresas americanas estão deixando o dinheiro se empilhar em seus balanços sem investir em projetos novos, porque não têm quaisquer planos concretos para o futuro.

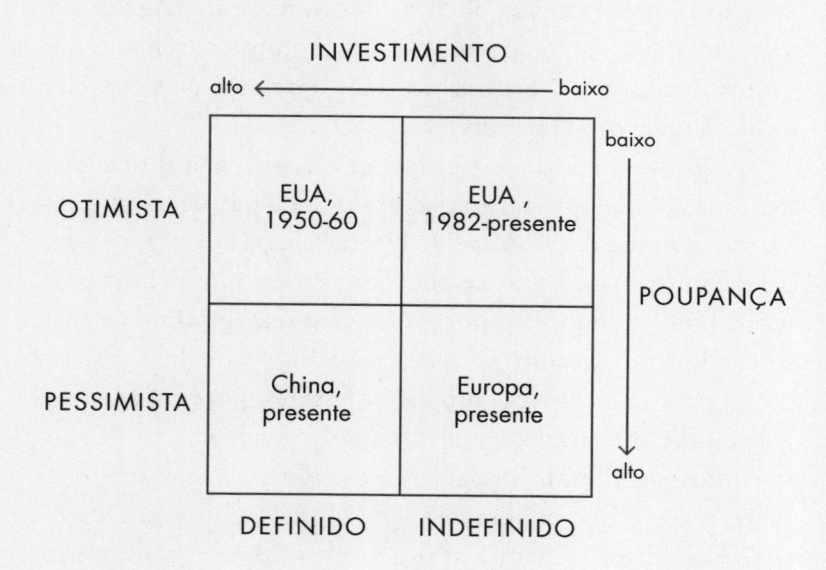

As outras três visões do futuro podem funcionar. O otimismo definido funciona quando você constrói o futuro que prevê. O pessimismo definido funciona desenvolvendo o que pode ser copiado sem esperar nada de novo. O pessimismo indefinido funciona por ser autorrealizável: se você é um indolente com baixas expectativas, elas provavelmente se cumprirão. Mas o otimismo indefinido parece intrinsecamente insustentável: como o futuro pode melhorar se ninguém o planeja?

Na verdade, quase todos no mundo moderno já ouviram uma resposta a esta pergunta: progresso sem planejamento é o que chamamos de "evolução". O próprio Darwin escreveu que a vida tende ao "progresso" sem que ninguém o tencione. Cada ser vivo é apenas uma iteração aleatória sobre algum outro organismo, e as melhores iterações vencem.

A teoria de Darwin explica a origem de trilobites e dinossauros, mas pode ser estendida indefinidamente para domínios distantes? Assim como a física newtoniana não consegue explicar os buracos negros ou o Big Bang, não está claro que a biologia darwiniana deva explicar como desenvolver uma sociedade melhor ou como criar um novo negócio do nada. Porém nos últimos anos metáforas darwinianas (ou pseudo-darwinianas) se tornaram comuns nos negócios. Jornalistas comparam a sobrevivência literal em ecossistemas competitivos à sobrevivência corporativa nos mercados competitivos. Daí manchetes como "Darwinismo Digital", "Darwinismo Pontocom" e "Sobrevivência dos Mais Conectados".

Mesmo no Vale do Silício regido pela engenharia, o jargão do momento preconiza a criação de uma "startup enxuta" capaz de se "adaptar" e "evoluir" num ambiente em constante mudança. Aspirantes a empresários são informados de que nada pode ser conhecido de antemão: devemos ouvir o que os clientes dizem que desejam, produzir nada mais que um "produto mínimo viável" e através de iterações abrir caminho para o sucesso.

Mas a fabricação enxuta é uma metodologia, não uma meta. Fazer pequenas mudanças em coisas já existentes pode levar a um máximo local, mas não ajudará a achar o máximo global. Você poderia desenvolver a melhor versão de um aplicativo que permita às pessoas encomendarem papel higiênico do iPhone. Mas variação sem um plano ousado não o levará de 0 a 1. Uma empresa é o mais estranho dos lugares para um otimista indefinido: por que você deveria esperar o sucesso de seu próprio negócio sem um plano para fazer acontecer? O darwinismo pode ser uma ótima teoria em outros contextos, mas em startups um projeto inteligente funciona melhor.

O RETORNO DO DESIGN

O que significaria priorizar o design em vez de priorizar o acaso? Atualmente, um "bom design" é um imperativo estético, e todos, dos ociosos aos yuppies, cuidam de sua aparência externa. É verdade que todo grande empresário é, antes de mais nada, um designer. Qualquer um que tenha segurado um iDevice ou um esguio MacBook sentiu o resultado da obsessão de Steve Jobs com a perfeição visual e experimental. Mas a lição mais importante a aprender com Jobs nada tem a ver com estética. A melhor coisa que Jobs projetou foi sua empresa. A Apple imaginou e executou planos plurianuais definidos para criar produtos novos e distribuí-los com eficácia. Esqueça "produtos viáveis mínimos" — desde quando fundou a Apple em 1976, Jobs viu que você pode mudar o mundo através do planejamento cuidadoso, não ouvindo o feedback de grupos focais ou copiando os sucessos dos outros.

O planejamento de longo prazo costuma ser subestimado por nosso mundo do curto prazo indefinido. Quando o primeiro iPod foi lançado em outubro de 2001, analistas do setor não conseguiram ver muito mais do que "um bom recurso para usuários do Macintosh" que "não faz nenhuma diferença" para o resto do mundo. Steve Jobs planejou o iPod para ser o primeiro de uma nova geração de dispositivos pós-PC portáteis, mas aquele segredo era invisível para a maioria das pessoas. Uma olhada no gráfico da ação da empresa mostra a colheita desse plano plurianual:

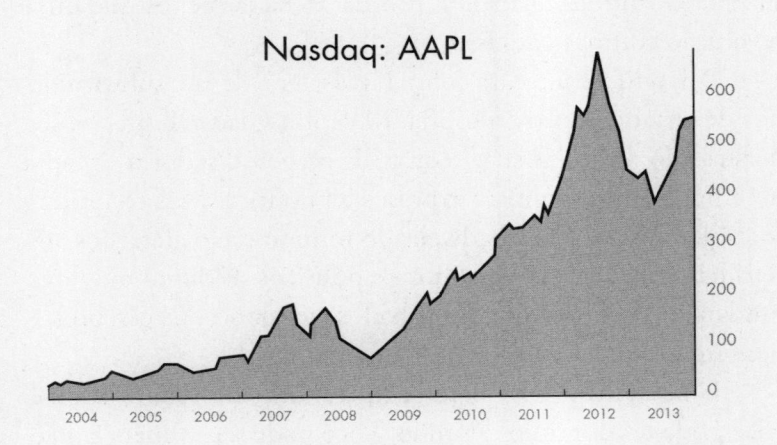

O poder do planejamento explica a dificuldade de avaliar empresas privadas. Quando uma grande empresa faz uma oferta para adquirir uma startup de sucesso, quase sempre oferece demais ou de menos: os fundadores só vendem quando não têm mais visões concretas para a empresa, caso em que o adquirente provavelmente pagou demais. Fundadores definidos com planos robustos não vendem, o que significa que a oferta não foi suficientemente alta. Quando o Yahoo! se ofereceu para comprar o Facebook por 1 bilhão de dólares em julho de 2006, achei que deveríamos ao menos estudar a proposta. Mas Mark Zuckerberg chegou à reunião do conselho diretor e anunciou: "OK, gente, isso não passa de uma formalidade, não deve levar mais de dez minutos. Obviamente não vamos vender." Mark viu aonde conseguiria levar a empresa, e o Yahoo! não viu. Uma empresa com um bom plano definido sempre será subestimada em um mundo onde as pessoas veem o futuro como aleatório.

VOCÊ NÃO É UM BILHETE DE LOTERIA

Precisamos encontrar nosso caminho de volta a um futuro definido, e o mundo ocidental precisa de nada menos que uma revolução cultural para isso.

Por onde começar? John Rawls terá de ser substituído nos departamentos de filosofia. Malcolm Gladwell precisa ser persuadido a mudar suas teorias. E os pesquisadores da opinião pública precisam ser expulsos da política. Mas os professores de filosofia e os Gladwells do mundo estão aferrados aos seus hábitos, sem falar nos nossos políticos. É dificílimo fazer mudanças nesses campos apinhados, mesmo com cérebros e boas intenções.

Uma startup é o maior empreendimento sobre o qual você pode ter domínio definido. Você pode ter influência não apenas sobre sua própria vida, mas sobre uma parte pequena e importante do mundo. Tudo começa rejeitando a tirania injusta do Acaso. Você não é um bilhete de loteria.

7

SIGA O DINHEIRO

DINHEIRO CHAMA DINHEIRO. "Porque a qualquer que tiver será dado, e terá em abundância; mas ao que não tiver até o que tem ser-lhe-á tirado." (Mateus, 25:29) Albert Einstein fez a mesma observação quando afirmou que os juros compostos eram "a oitava maravilha do mundo", "a maior descoberta matemática de todos os tempos" ou mesmo "a mais poderosa força no universo". Qualquer que seja a sua versão preferida, sua mensagem não pode ser ignorada: nunca subestime o crescimento exponencial. Na verdade, não há provas de que Einstein de fato disse alguma dessas coisas — as citações são todas apócrifas. Mas essa própria falsa atribuição reforça a mensagem: tendo investido em uma vida de genialidade, Einstein continua auferindo seus juros no além-túmulo ao receber créditos por coisas que jamais disse.

A maioria das declarações é esquecida. No outro extremo, umas poucas pessoas seletas como Einstein e Shakespeare são constantemente citadas e "ventriloquizadas". Não devemos nos surpreender, já que pequenas minorias costumam alcançar resultados desproporcionais. Em 1906, o economista Vilfredo Pareto descobriu o que ficou conhecido como "princípio de Pareto", ou a regra dos 80-20, quando observou que 20% das pessoas possuíam 80% das terras na Itália — um fenômeno que julgou tão natural como o fato de 20% das vagens em sua horta produzirem 80% das ervilhas. Esse padrão extraordinariamente desigual, com uma pequena minoria superando radicalmente os seus rivais, envolve-nos por toda parte nos mundos natural e social. Os terremotos mais destrutivos são muitas vezes mais poderosos do que todos os terremotos menores combinados. As metrópoles eclipsam todas as cidades pequenas reunidas. E as empresas monopolistas captam mais valor do que milhões de concorrentes indiferenciados. Seja lá o que Einstein disse ou não, a lei de potência — assim denominada porque equações exponenciais descrevem distribuições fortemente desiguais — é a lei do universo. Define nosso ambiente tão completamente que sequer costumamos percebê-la.

Este capítulo mostra como a lei de potência se torna visível quando você segue o dinheiro: no capital de risco, no qual investidores procuram lucrar com o crescimento exponencial em empresas no estágio inicial, umas poucas empresas alcançam um valor exponencialmente maior do que todas as outras. A maioria das empresas jamais precisa lidar com o capital de risco, mas todos precisam saber exatamente algo que mesmo os capitalistas de risco lutam por entender: não vivemos num mundo normal. Vivemos sob uma lei de potência.

A LEI DE POTÊNCIA DO CAPITAL DE RISCO

Os capitalistas de risco têm como objetivo identificar, financiar e lucrar com empresas promissoras no estágio inicial. Eles arrecadam dinheiro de instituições e pessoas ricas, concentram num fundo e investem em empresas de tecnologia que acreditam que se tornarão mais valiosas. Se adiante estiverem certos, recebem uma parte dos retornos — geralmente 20%. Um fundo de capital de risco ganha dinheiro quando as empresas de sua carteira tornam-se mais valiosas e abrem o capital ou são compradas por empresas maiores. A expectativa dos fundos de capital de risco costuma ser de dez anos, já que leva tempo para empresas de sucesso crescerem, e "saírem".

Mas a maioria das empresas financiadas por capital de risco não chega a abrir o capital ou ser adquirida. A maioria fracassa, geralmente logo após ser criada. Devido a esses fracassos iniciais, um fundo de capital de risco costuma perder dinheiro de início. Os capitalistas de risco esperam que o valor do fundo aumente substancialmente em poucos anos, até o ponto de equilíbrio [*break-even point*] e além, quando as empresas bem-sucedidas da carteira atingem seus surtos de crescimento exponencial e começam a aumentar de escala.

A grande questão é quando essa decolada ocorrerá. Para a maioria dos fundos, a resposta é nunca. A maioria das startups fracassa, e a maioria dos fundos fracassa com elas. Todo capitalista de risco sabe que sua tarefa é achar as empresas que vencerão. Entretanto, mesmo investidores experientes entendem esse fenômeno apenas superficialmente. Eles sabem que as empresas são diferentes, mas subestimam o grau de diferença.

O erro está em supor que os retornos de capital de risco sejam normalmente distribuídos: ou seja, empresas ruins fracassarão, as medíocres ficarão estáveis e as boas darão retornos de duas ou até mesmo de quatro vezes. Pressupondo esse padrão equilibrado, os investidores reúnem uma carteira de títulos diversificada e esperam que as vencedoras contrabalancem as perdedoras.

CURVA EM J DE UM FUNDO
DE CAPITAL DE RISCO BEM-SUCEDIDO

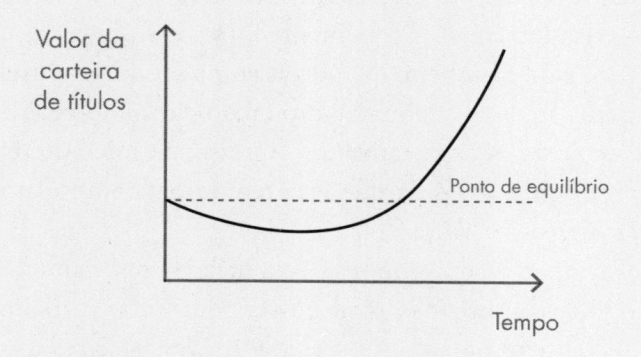

Mas essa abordagem de "sair atirando" geralmente produz uma carteira inteira de fiascos, sem nenhum acerto. A razão é que os retornos de capital de risco não seguem uma distribuição normal geral. Pelo contrário, seguem a lei de potência: um pequeno punhado de empresas supera radicalmente o desempenho de todas as outras. Se você se concentrar na diversificação em vez de na busca obstinada das pouquíssimas empresas que podem se tornar valiosíssimas, ignorará essas empresas raras lá no início.

O gráfico abaixo mostra a dura realidade comparada com a homogeneidade relativa percebida:

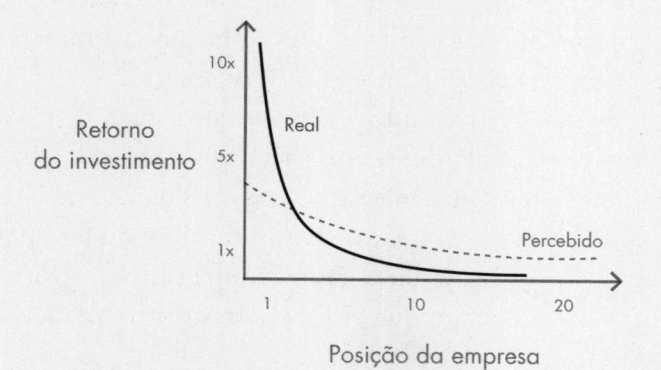

Nossos resultados no Founders Fund ilustram esse padrão distorcido: o Facebook, o melhor investimento em nosso fundo de 2005, deu mais retorno do que todas as outras empresas combinadas. Palantir, o segundo melhor investimento, deve render mais que a soma de todos os outros investimentos, exceto o Facebook. Esse padrão altamente desigual não é incomum: nós o vemos em todos os nossos outros fundos também. *O maior segredo em capital de risco é que o melhor investimento em um fundo de sucesso iguala ou supera todo o resto do fundo combinado.*

Isso implica duas regras bem estranhas para os capitalistas de risco. Primeira: invista apenas em empresas que tenham o potencial de retornar o valor do fundo inteiro. Esta é uma regra assustadora, porque elimina a maioria dos investimentos possíveis. (O sucesso mesmo de empresas um tanto bem-sucedidas costuma ser numa escala mais modesta.) Isso leva à regra número dois: como a regra número um é tão restritiva, não pode haver outras regras.

Vejamos o que acontece quando você desobedece à primeira regra. A empresa de capital de risco Andreessen Horowitz investiu 250 mil dólares no Instagram em 2010. Quando o Facebook comprou o Instagram apenas dois anos depois por 1 bilhão de dólares, a Andreessen auferiu 78 milhões — um retorno de 312 vezes em menos de dois anos. Trata-se de um retorno fenomenal, condizente com a reputação da empresa como uma das melhores do Vale. Mas de uma forma estranha não é suficiente, porque a Andreessen Horowitz possui um fundo de 1,5 bilhão de dólares: se só emitisse cheques de 250 mil dólares, precisaria achar 19 Instagrams só para equilibrar as finanças. Por isso os investidores costumam colocar muito mais dinheiro em qualquer empresa que valha a pena financiar.

(Na verdade, a Andreessen teria investido mais em rodadas posteriores do Instagram se não tivesse sido impedida por um conflito de um investimento anterior.) Os capitalistas de risco precisam achar o punhado de empresas que passarão com sucesso de 0 a 1 e depois financiá-las com todos os recursos.

Claro que ninguém consegue saber com certeza ex ante quais empresas vencerão, por isso mesmo as melhores empresas de investimentos de risco têm uma "carteira de títulos". No entanto, *cada empresa numa boa carteira de capital de risco precisa ter o potencial de vencer em grande escala.* No Founders Fund, concentramo-nos em cinco a sete empresas em um fundo, cada uma das quais julgamos capaz de se tornar multibilionária com base em seus fundamentos únicos. Sempre que você muda da substância de uma empresa para a questão financeira de se ela se enquadra numa estratégia de hedge diversificada, o investimento de risco começa a ficar muito parecido com a compra de bilhetes de loteria. E uma vez que ache que está jogando na loteria, você já se preparou psicologicamente para perder.

POR QUE AS PESSOAS NÃO PERCEBEM A LEI DE POTÊNCIA

Por que logo os capitalistas de risco profissionais, dentre todas as pessoas, deixam de perceber a lei de potência? Antes de mais nada, ela só se torna clara com o tempo, e mesmo investidores em tecnologia com frequência vivem no presente. Imagine que uma firma investe em dez empresas com o potencial de se tornarem monopólios — uma carteira de títulos singularmente disciplinada. Essas empresas parecerão bem semelhantes nos estágios iniciais antes do crescimento exponencial.

INÍCIO DO FUNDO

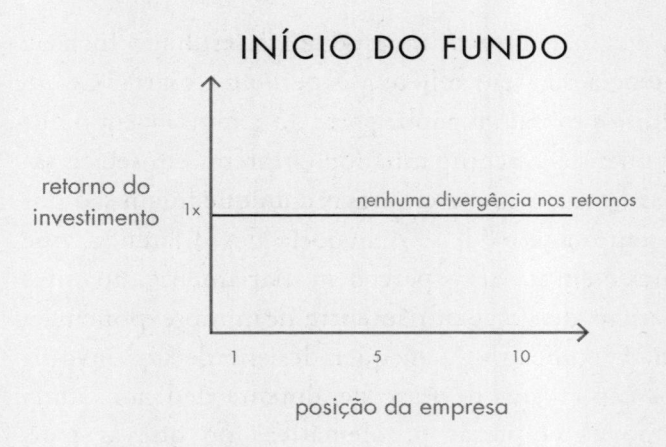

Nos próximos anos, algumas empresas fracassarão enquanto outras começarão a ter sucesso. As avaliações divergirão, mas a diferença entre crescimento exponencial e linear será pouco nítida.

MEADOS DO FUNDO

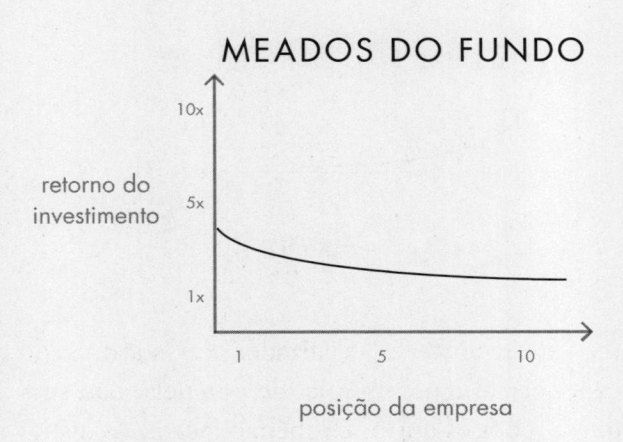

No entanto, após dez anos, a carteira não estará dividida entre vencedores e perdedores. Estará dividida entre um investimento dominante e todo o resto.

Mas por mais inequívoco que seja o resultado final da lei de potência, ela não reflete a experiência diária. Como os investidores passam a maior parte do tempo fazendo novos investimentos e acompanhando empresas em seus estágios iniciais, a maioria das empresas com que lidam são por definição empresas médias. A maioria das diferenças que investidores e empresários percebem diariamente são entre níveis relativos de sucesso, não entre domínio exponencial e fracasso. E como ninguém quer desistir de um investimento, os capitalistas de risco geralmente dedicam ainda mais tempo às empresas problemáticas do que às mais obviamente bem-sucedidas.

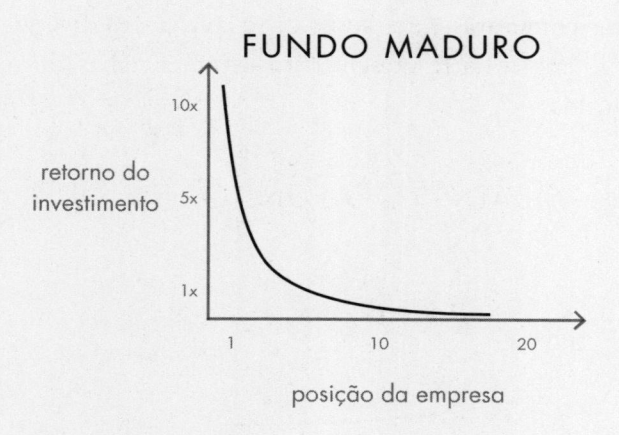

Se mesmo investidores especializados em startups de crescimento exponencial ignoram a lei de potência, não surpreende que quase todos os outros também o façam. As distribuições da lei de potência são tão grandes que se ocultam à primeira vista. Por exemplo, quando a maioria das pessoas fora do Vale do Silício pensa em capital de risco, poderia imaginar um círculo pequeno e estranho — como *Shark Tank* [Tanque de tubarões] da ABC,* mas sem comerciais. Afinal, menos de 1% das novas empresas abertas a cada ano nos Estados Unidos recebe financiamento de capital de risco, e os investimentos totais dos capitalistas de risco representam menos de 0,2% do PIB. Mas os resultados desses investimentos impelem desproporcionalmente a economia inteira. Empresas financiadas por capital de risco criam 11% de todos os empregos do setor privado. Geram receitas anuais equivalentes a espantosos 21% do PIB. De fato, as 12 maiores empresas de tecnologia eram todas financiadas por capital de risco. Juntas, essas 12 empresas valem mais de 2 trilhões de dólares, *mais que todas as outras empresas de tecnologia combinadas.*

O QUE FAZER COM A LEI DE POTÊNCIA

A lei de potência não é importante apenas para investidores. Na verdade, é para todo mundo, porque é um investidor. Um empresário faz um grande investimento só de dedicar seu tempo ao trabalho em uma startup. Portanto, todo empresário deve refletir sobre se sua empresa terá sucesso e se será valiosa. Todo indivíduo também é inevitavelmente um investidor. Quando você escolhe uma carreira, age baseado na crença de que o tipo de trabalho que faz será valioso daqui a décadas.

A resposta mais comum à questão do valor futuro é uma carteira diversificada: "não ponha todos os ovos na mesma cesta", foi o que todos ouviram. Como dissemos, mesmo os melhores investidores de risco possuem uma carteira de

---

* Reality show norte-americano no qual empreendedores apresentam suas ideias de negócios para investidores potenciais. (N. T.)

títulos, mas investidores que compreendem a lei de potência fazem o mínimo de investimentos possível. O tipo de pensamento de carteira adotado tanto pela sabedoria popular como pela convenção financeira, por outro lado, considera as apostas diversificadas uma fonte de poder. Quanto mais você diversifica, maior a sua suposta proteção contra a incerteza do futuro.

Mas a vida não é uma carteira de títulos: não para o fundador de uma startup, e não para qualquer indivíduo. Um empresário não pode "diversificar" a si próprio: não é possível dirigir dezenas de empresas ao mesmo tempo e depois esperar que uma delas funcione bem. Menos óbvio, mas igualmente importante, um indivíduo não pode diversificar sua própria vida mantendo dezenas de carreiras igualmente possíveis em reserva.

As escolas norte-americanas ensinam o contrário: a educação institucionalizada trafega em um tipo de conhecimento homogeneizado, genérico. Todos que passam pelo sistema escolar americano aprendem a *não* pensar em termos da lei de potência. Toda aula do ensino médio dura 45 minutos qualquer que seja a matéria. Todos os alunos avançam num ritmo semelhante. Na faculdade, estudantes modelo reduzem obsessivamente seus riscos futuros reunindo um conjunto de habilidades exóticas e menores. Toda universidade acredita na "excelência", e catálogos de cursos de cem páginas organizados alfabeticamente de acordo com departamentos de conhecimento arbitrários parecem feitos para assegurar que "não importa o que você faz, contanto que faça bem". Trata-se de uma completa falsidade. O que você faz importa, sim. Você deveria se concentrar implacavelmente em algo que faça bem, mas antes precisa pensar bastante se isso terá valor no futuro.

Para o mundo das startups, isso significa que você deve não necessariamente abrir sua própria empresa, ainda que seja extremamente talentoso. Na verdade, hoje pessoas demais estão abrindo suas próprias empresas. Pessoas que entendem a lei de potência hesitarão mais do que outras quando se tratar de fundar um empreendimento novo: elas sabem o sucesso tremendo que poderiam ter aderindo à melhor empresa enquanto ela está crescendo rápido. A lei de potência significa que as diferenças *entre* empresas tolherá o crescimento das diferenças nas funções *dentro* das empresas. Você poderia ter 100% de participação se financiar plenamente seu próprio empreendimento, mas, se ele fracassar, terá 100% de nada. Possuir apenas 0,01% do Google, por outro lado, é incrivelmente valioso (mais de 35 milhões de dólares enquanto escrevo este livro).

Mas se você abrir sua própria empresa, deve se lembrar da lei de potência para geri-la bem. As coisas mais importantes são singulares: um mercado provavelmente será melhor que todos os outros, como discutimos no capítulo 5. Uma estratégia de distribuição geralmente domina todas as outras também — para isso, veja o capítulo 11. Tempo e tomada de decisão seguem uma lei de potência, e alguns momentos importam bem mais do que outros — veja o capítulo 9. Porém, você não pode confiar num mundo que nega a lei de potência como base em suas decisões, de modo que o mais importante é raramente óbvio. Pode até ser secreto. Mas num mundo da lei de potência, você não pode se dar ao luxo de não refletir sobre suas ações se enquadrarem ou não na curva.

8

SEGREDOS

Cada uma das ideias atualmente mais famosas e familiares foi outrora desconhecida e insuspeitada. A relação matemática entre os lados de um triângulo, por exemplo, foi um segredo por milênios. Pitágoras teve de pensar muito para descobri-la. Se você quisesse ficar por dentro da nova descoberta de Pitágoras, aderir ao seu estranho culto vegetariano seria a melhor maneira. Hoje sua geometria tornou-se uma convenção — uma verdade simples que ensinamos nos colégios. Uma verdade convencional pode ser importante — é essencial aprender matemática elementar, por exemplo —, mas não lhe dará uma vantagem competitiva. Não é um segredo.

Lembre-se de nossa pergunta contestadora: *sobre que verdade importante pouquíssimas pessoas concordam com você?* Se já entendemos tudo que pode ser entendido sobre o mundo natural — se todas as ideias convencionais atuais já foram esclarecidas e se tudo já foi realizado —, não existem boas respostas. O pensamento contestador só faz sentido se o mundo ainda tiver segredos por revelar.

Claro que ainda há muitas coisas que não entendemos, mas algumas dessas coisas podem ser impossíveis de desvendar — mistérios mais do que segredos. Por exemplo, a teoria das cordas descreve a física do universo em termos de objetos uni-dimensionais vibratórios chamados "cordas". A teoria das cordas é verdadeira? Não é possível projetar experimentos para testá-la. Pouquíssimas pessoas, se é que houve alguma, conseguiram entender todas as suas implicações. Mas isso ocorre simplesmente porque é difícil? Ou trata-se de um mistério impossível? A diferença importa. Você consegue realizar coisas difíceis, mas não consegue realizar coisas impossíveis.

Lembre-se da versão empresarial de nossa pergunta contestadora: *qual empresa valiosa ninguém está construindo?* Cada resposta correta é necessariamente um segredo: algo importante e desconhecido, algo difícil de fazer, mas factível. Se restam muitos segredos no mundo, existem provavelmente muitas empresas revolucionárias a serem criadas. Este capítulo ajudará você a pensar sobre segredos e como encontrá-los.

POR QUE AS PESSOAS NÃO ESTÃO EM BUSCA DE SEGREDOS?

A maioria das pessoas age como se não restassem mais segredos por descobrir. Um representante extremo desse ponto de vista é Ted Kaczynski, conhecido pela alcunha execrável de Unabomber. Kaczynski foi uma criança prodígio que entrou para Harvard aos 16 anos. Obteve um PhD em matemática e tornou-se professor na Universidade da Califórnia em Berkeley. Mas você só ouviu falar dele em razão da campanha de terror de 17 anos que empreendeu com bombas-tubo contra professores, tecnólogos e homens de negócios.

No final de 1995, as autoridades ignoravam quem era o Unabomber ou onde ele se encontrava. A maior pista foi um manifesto de 35 mil palavras que Kaczynski redigira e enviara anonimamente à imprensa. O FBI pediu a alguns jornais proeminentes que o publicassem, na esperança de obter uma pista no caso. Funcionou: o irmão de Kaczynski reconheceu o estilo de escrever do irmão e o entregou.

Você poderia supor que o estilo de escrever revelou sinais óbvios de insanidade, mas o manifesto é assustadoramente convincente. Kaczynski afirmava que, para ser feliz, todo indivíduo "precisa de metas cujo alcance requeira esforço e precisa triunfar na realização de ao menos algumas de suas metas". Dividiu as metas humanas em três grupos:

1. metas que podem ser alcançadas com esforço mínimo;

2. metas que podem ser alcançadas com grande esforço; e

3. metas que não podem ser alcançadas, por mais que você se esforce.

Essa é a clássica tricotomia do fácil, difícil e impossível. Kaczynski argumentou que as pessoas modernas estão deprimidas porque todos os problemas difíceis do mundo já foram resolvidos. O que resta por fazer é fácil ou impossível, e perseguir essas tarefas é profundamente frustrante. O que você pode fazer até uma criança consegue; o que não consegue fazer nem mesmo Einstein conseguiria ter feito. Assim a ideia de Kaczynski foi destruir as instituições existentes, livrar-se de toda tecnologia e deixar as pessoas recomeçarem e enfrentarem os problemas difíceis novamente.

Os métodos de Kaczynski eram tresloucados, mas sua perda da fé na fronteira tecnológica está por toda parte. Vejamos os símbolos triviais mas reveladores do mundo hipster: fotografias falsamente antigas, o bigode comprido e curvado e vitrolas de discos vinil remetendo a uma época anterior quando as pessoas ainda eram otimistas quanto ao futuro. Se tudo que vale a pena fazer já foi feito, você pode perfeitamente dissimular uma alergia à realização e tornar-se um barista.

Hipster ou Unabomber?

Todos os fundamentalistas pensam dessa maneira, não apenas terroristas ou hipsters. Os fundamentalistas religiosos, por exemplo, não admitem meio-termo para questões complexas: existem verdades fáceis que até as crianças sabem recitar e existem os mistérios de Deus que não podem ser explicados. Entre os dois — a zona das verdades complexas — repousa a heresia. Na religião moderna do ambientalismo, a verdade fácil é que precisamos proteger o meio ambiente. Além disso, a Mãe Natureza sabe mais e não pode ser questionada. Os adeptos do livre mercado cultuam uma lógica semelhante. O valor das coisas é fixado pelo mercado. Mesmo uma criança pode consultar as cotações das ações. Mas se esses preços fazem sentido não cabe questionar. O mercado sabe bem mais do que você jamais conseguiria saber.

Por que uma parte tão grande de nossa sociedade passou a acreditar que não restam mais segredos difíceis? A resposta talvez comece pela geografia. Não existem mais espaços vazios no mapa. Se você crescesse no século XVIII, ainda existiam lugares novos para ir. Após ouvir histórias de aventuras internacionais, você próprio podia se tornar um explorador. Isso foi provavelmente verdade durante o século XIX e início do século XX, quando fotografias na *National Geographic* mostravam a cada ocidental os lugares mais exóticos e pouco explorados da Terra. Hoje em dia, os exploradores se encontram predominantemente em livros de história e contos infantis. Os pais já não esperam que seus filhos se tornem exploradores, como não esperam que se tornem piratas ou sultões. Talvez existam umas poucas dúzias de tribos não contactadas nas profundezas da Amazônia, e sabemos que uma última fronteira inexplorada persiste nas profundezas dos oceanos. Mas o desconhecido parece menos acessível do que nunca.

Junto com o fato natural de que as fronteiras físicas recuaram, quatro tendências sociais conspiraram para eliminar a nossa crença nos segredos. A primeira é o incrementalismo. Desde cedo nos ensinam que a forma certa de fazer as coisas é avançar um pequeno passo a cada vez, dia após dia, degrau após degrau. Se você se esforça e acaba aprendendo algo que não cai na prova, não é elogiado por isso. Mas em troca de fazer exatamente o que lhe pedem (e fazê-lo um pouquinho melhor que seus colegas), você recebe uma nota máxima. Esse processo se estende por toda a carreira acadêmica, daí os professores perseguirem grandes números de artigos triviais em vez de novas fronteiras.

A segunda é a aversão ao risco. As pessoas se assustam com os segredos porque temem estar erradas. Por definição, um segredo ainda não foi testado pela opinião pública. Se seu objetivo é nunca cometer um erro na vida, não deve ir atrás de segredos. A perspectiva de estar sozinho, mas certo — dedicar sua vida a algo em que ninguém mais acredita —, já é difícil. A perspectiva de estar sozinho e *errado* pode ser insuportável.

A terceira é a complacência. As elites sociais têm mais liberdade e capacidade para explorar pensamentos novos, mas são as que menos parecem acreditar nos segredos. Por que procurar um segredo novo se você pode confortavelmente coletar rendas de tudo que já foi feito? A cada início de ano letivo, os reitores das faculdades de Direito e Administração de elite saúdam a nova turma com a mesma mensagem implícita: "Vocês entraram nesta instituição de elite. Suas preocupações terminaram. Vocês estão com a vida ganha." Mas isso é provavelmente o tipo de coisa que só é verdadeira se você não acredita nela.

A quarta é a "planura". Com o avanço da globalização, as pessoas percebem o mundo como um mercado homogêneo, altamente competitivo: o mundo é "plano". Dado esse pressuposto, quem tiver a ambição de buscar um segredo perguntará primeiro a si mesmo: se fosse possível descobrir algo novo, alguém do acervo de talentos global impessoal ou pessoas mais inteligentes e criativas já não teriam descoberto? Essa voz da dúvida pode dissuadir as pessoas até de começar a procurar pelos segredos num mundo que parece grande demais para qualquer indivíduo contribuir com algo singular.

Existe um meio otimista de descrever o resultado dessas tendências: hoje em dia você não consegue fundar uma seita. Quarenta anos atrás, as pessoas estavam mais abertas à ideia de que nem todo conhecimento era amplamente conhecido. Do Partido Comunista aos Hare Krishnas, um grande número de pessoas achava que poderia aderir a alguma vanguarda esclarecida que lhes mostraria o Caminho. Pouquíssimas pessoas levam as ideias heterodoxas a sério hoje, e a mentalidade predominante vê isso como sinal de progresso. Podemos estar satisfeitos por existirem menos cultos malucos agora, embora esse ganho tenha custado caro: abrimos mão de nossa sensação de espanto com segredos que esperam por ser descobertos.

O MUNDO DE ACORDO COM A CONVENÇÃO

Como você deve ver o mundo se não acredita em segredos? Você teria de crer que já solucionamos todas as grandes questões. Se as convenções atuais estiverem corretas, podemos nos dar ao luxo de sermos presunçosos e complacentes: "Deus está em Seu céu, Tudo está bem com o mundo."

Por exemplo, um mundo sem segredos teria uma compreensão perfeita da justiça. Toda injustiça necessariamente envolve uma verdade moral que pouquíssimas pessoas reconhecem logo de início: numa sociedade democrática, uma prática injusta persiste somente quando a maioria das pessoas não a percebe como tal. De início, apenas uma minoria de abolicionistas sabia que a escravidão era ruim. Essa visão justificadamente se tornou convencional, mas ainda era um segredo no início do século XIX. Dizer que não restam mais segredos hoje significaria afirmar que vivemos numa sociedade sem injustiças ocultas.

Na economia, a descrença nos segredos leva à fé em mercados eficientes. Mas a existência de bolhas financeiras mostra que os mercados podem ter ineficiências extraordinárias. (E quanto mais pessoas acreditam na eficiência, maiores se tornam as bolhas.) Em 1999, ninguém queria acreditar que a internet estava irracionalmente supervalorizada. O mesmo aconteceu com o mercado imobiliário em 2005: o chairman do Federal Reserve Alan Greenspan teve de reconhecer alguns "sinais de espuma nos mercados locais", mas afirmou que "uma bolha nos preços das moradias para a nação como um todo não parece provável". O mercado refletia todas as informações cognoscíveis e não podia ser questionado. Então os preços caíram em todo o país, e a crise financeira de 2008 eliminou trilhões. Descobriu-se que o futuro abrigava muitos segredos que os economistas não podiam fazer desaparecer simplesmente os ignorando.

O que acontece quando uma empresa deixa de acreditar em segredos? O triste declínio da Hewlett-Packard fornece uma história admonitória. Em 1990, a empresa valia 9 bilhões de dólares. Em seguida veio uma década de invenção. Em 1991, a HP lançou a DeskJet 500C, a primeira impressora colorida com preço acessível do mundo. Em 1993, lançou o OmniBook, um dos primeiros laptops "superportáteis". No ano seguinte, a HP lançou a OfficeJet, a primeira impressora/

fax/copiadora integrada do mundo. Essa agressiva expansão de produtos rendeu frutos: em meados de 2000, a HP valia 135 bilhões de dólares.

Mas a partir do final de 1999, quando a HP lançou uma nova campanha institucional de marca em torno do imperativo "inventar", parou de inventar coisas. Em 2001, a empresa lançou a HP Services, uma loja de consultoria e suporte glorificada. Em 2002, a HP fundiu-se com a Compaq, presumivelmente por não saber o que continuar criando. Em 2005, a capitalização de mercado da empresa despencara para 70 bilhões de dólares — cerca de metade do que havia sido cinco anos antes.

O conselho diretor da HP era um microcosmo da disfunção: dividiu-se em duas facções, apenas uma delas se importando com tecnologia nova. Esta facção era liderada por Tom Perkins, engenheiro que chegou à HP em 1963 para administrar a divisão de pesquisas da empresa por pedido pessoal de Bill Hewlett e Dave Packard. Aos 73 anos, em 2005, Perkins poderia perfeitamente ter sido um viajante no tempo, oriundo de uma era passada de otimismo: achava que o conselho diretor deveria identificar as tecnologias novas mais promissoras e fazer com que a HP as desenvolvesse. Mas a facção de Perkins perdeu para sua rival, liderada pela chairwoman Patricia Dunn. Com experiência no setor bancário, Dunn alegou que traçar um plano para a tecnologia futura estava além da competência do conselho diretor. Ela achava que o conselho deveria se restringir ao papel de um vigia noturno: Tudo estava correto no departamento de contabilidade? As pessoas estavam cumprindo todas as regras?

Em meio a esse conflito interno, alguém no conselho diretor começou a vazar informações à imprensa. Quando se descobriu que Dunn mandara instalar uma série de grampos ilegais para identificar a fonte, a reação foi pior que a discórdia original, e o conselho diretor ficou desacreditado. Tendo abandonado a busca por segredos tecnológicos, a HP ficou obcecada com fofocas. Como resultado, no final de 2012 a HP valia apenas 23 bilhões de dólares — não muito mais do que em 1990, descontada a inflação.

EM DEFESA DOS SEGREDOS

Você não consegue achar segredos sem procurá-los. Andrew Wiles demonstrou isso ao provar o Último Teorema de Fermat após 358 anos de buscas infrutíferas de outros matemáticos — o tipo de fracasso sustentado que poderia ter sugerido uma tarefa intrinsecamente impossível. Pierre de Fermat havia conjecturado, em 1637, que nenhum conjunto de inteiros a, b e c poderia satisfazer à equação $a^n + b^n = c^n$ para qualquer inteiro n maior do que 2. Ele afirmou dispor da prova, mas morreu sem anotá-la, de modo que sua conjectura permaneceu por muito tempo um grande problema sem solução na matemática. Quando Wiles começou a analisá-lo em 1986, manteve segredo até 1993, quando soube que se aproximava da solução. Após nove anos de grande esforço, Wiles provou a conjectura, em 1995. Precisou ser brilhante para chegar lá, mas também precisou da fé nos segredos. Se você acha que algo difícil é impossível, sequer começará a tentá-lo. A crença nos segredos é uma verdade eficaz.

A verdade verdadeira é que existem muitos outros segredos por descobrir, mas só se revelarão aos pesquisadores esforçados. Existe mais por ser feito em ciência, medicina, engenharia e em todo tipo de tecnologia. Estão ao nosso alcance não apenas metas marginais fixadas na fronteira competitiva das disciplinas convencionais atuais, mas ambições tão grandes que mesmo as mentes mais ousadas da Revolução Científica hesitariam em anunciá-las diretamente. Poderíamos curar o câncer, a demência e todas as doenças da idade e da decadência metabólica. Podemos achar novos meios de gerar energia que livrem o mundo do conflito pelos combustíveis fósseis. Podemos inventar meios mais velozes de viajar de um lugar para outro na superfície do planeta. Podemos até descobrir como escapar inteiramente deste planeta e colonizar novas regiões inexploradas. Mas jamais descobriremos qualquer desses segredos se não pedirmos para conhecê--los e nos forçarmos a olhar.

O mesmo vale para os negócios. Grandes empresas podem ser criadas com base em segredos em aberto, mas insuspeitados, sobre o funcionamento do mundo. Considere as startups do Vale do Silício que aproveitaram a capacidade ociosa que nos circunda, mas que costuma ser ignorada. Antes do Airbnb, os viajantes tinham poucas opções além de pagar preços altos por um quarto de hotel, e os donos de imóveis não conseguiam alugar de forma fácil e confiável seu espaço desocupado. O Airbnb viu uma oferta inexplorada e uma demanda não atendida onde os outros nada viam. O mesmo vale para os serviços de carros particulares Lyft e Uber. Poucas pessoas imaginavam que fosse possível desenvolver um negócio bilionário simplesmente conectando pessoas que querem ir a lugares com outras dispostas a levá-las até lá. Já dispúnhamos de táxis e limusines privadas licenciados pelo Estado. Somente acreditando nos segredos e indo atrás deles era possível olhar além da convenção e descobrir uma oportunidade oculta bem à vista. A mesma razão por que tantas empresas da internet, incluindo o Facebook, costumam ser subestimadas — sua grande simplicidade constitui um argumento a favor dos segredos. Se ideias que parecem tão elementares em retrospecto podem sustentar negócios importantes e valiosos, devem restar ainda muitas empresas grandes por criar.

COMO ENCONTRAR SEGREDOS

Existem dois tipos de segredos: segredos da natureza e segredos sobre pessoas. Os segredos naturais existem por toda a nossa volta. Para encontrá-los, é preciso estudar algum aspecto desconhecido do mundo físico. Segredos sobre pessoas são diferentes: são coisas que as pessoas não sabem sobre si mesmas ou coisas que escondem porque não querem que os outros saibam. Assim, ao pensar sobre qual tipo de empresa construir, existem duas perguntas diferentes a serem feitas: quais segredos a natureza não lhe está contando? Quais segredos as pessoas não lhe estão contando?

É fácil presumir que os segredos naturais são os mais importantes: as pessoas que os buscam podem soar assustadoramente autoritárias. Daí ser notoriamente difícil trabalhar com PhDs em física — por conhecerem as verdades mais fundamentais, acham que conhecem *todas* as verdades. Mas entender a teoria eletromagnética automaticamente torna você um ótimo conselheiro matrimonial? Um teórico da gravidade sabe mais sobre seu negócio do que você? No PayPal, certa vez entrevistei um PhD em física para uma vaga de engenharia. Na metade de minha primeira pergunta, ele bradou: "Pare! Já sei o que você vai perguntar!" Mas ele estava errado. Foi a decisão mais fácil de não contratar que já tomei.

Os segredos sobre as pessoas são relativamente subestimados. Talvez por isso você não precise de doze anos de formação superior para fazer as perguntas que os revelam: Sobre o que as pessoas não estão autorizadas a falar? O que é proibido ou tabu?

Às vezes procurar segredos naturais e procurar segredos humanos levam à mesma verdade. Vejamos de novo o segredo do monopólio: *concorrência e capitalismo são antagônicos*. Se você ainda não soubesse, poderia descobrir pelo meio natural, empírico: faça um estudo quantitativo dos lucros corporativos e você verá que eles são eliminados pela concorrência. Mas você poderia também adotar a abordagem humana e indagar: o que as pessoas que dirigem as empresas não estão autorizadas a falar? Você observaria que os monopolistas minimizam sua posição de monopólio para evitar o escrutínio enquanto as empresas competitivas estrategicamente exageram sua singularidade. As diferenças entre as empresas só parecem pequenas à superfície. Na verdade, são enormes.

O melhor lugar para procurar segredos é onde ninguém está procurando. A maioria das pessoas pensa somente em termos daquilo que lhes ensinaram. O próprio ensino visa transmitir o pensamento convencional. Assim você poderia perguntar: existem campos que importam mas não foram padronizados e institucionalizados? A física, por exemplo, é um curso de graduação em todas as grandes universidades e segue seus caminhos. O oposto da física poderia ser a astrologia, mas a astrologia não importa. Que tal algo como nutrição? A nutrição importa para todos, mas você não pode se especializar nela em Harvard. A maioria dos grandes cientistas vai para outros campos. A maioria dos grandes estudos é de trinta ou quarenta anos atrás, e a maioria contem falhas graves. A pirâmide dos alimentos que nos prescrevia comer poucas gorduras e quantidades enormes de cereais foi provavelmente mais um produto do lobby dos grandes produtores do que de ciência real. Seu impacto principal foi agravar nossa epidemia de obesidade.

Existe muito mais por aprender: sabemos mais sobre a física dos astros remotos do que sobre a nutrição humana. Não será fácil, mas obviamente não é impossível: exatamente o tipo de campo que poderia revelar segredos.

O QUE FAZER COM OS SEGREDOS

Se você descobre um segredo, enfrenta um dilema: conta para alguém? Ou guarda para si?

Depende do segredo: alguns são mais perigosos do que outros. Como Fausto conta a Wagner:

> *Os poucos que têm visto em tal alguma luz,*
> *E que, a alma plena expondo, abriram à ralé*
> *Suas revelações, seu sentimento e fé,*
> *Foram queimados, sempre, ou mortos sobre a cruz.* *

A não ser que você tenha crenças perfeitamente convencionais, raramente constitui uma boa ideia contar a todos tudo que você sabe.

Então a quem você conta? A quem precisar contar, e a mais ninguém. Na prática, existe sempre um áureo meio-termo entre não contar a ninguém e contar a todo mundo — e isso é uma empresa. Os melhores empresários sabem isto: todo grande negócio se constrói em torno de um segredo que é oculto aos de fora. Uma grande empresa é uma conspiração para mudar o mundo; quando você compartilha seu segredo, o receptor se torna um colega conspirador.

Como escreveu Tolkien em *O senhor dos anéis*:

---

* Goethe, *Fausto*. Tradução de Jenny Klabin Segall. São Paulo: Editora 34, 2004.

A estrada em frente vai prosseguindo
Deixando a porta onde começou

A vida é uma longa jornada. A estrada marcada pelos passos de viajantes anteriores não tem final à vista. Porém, adiante nesta narrativa, outra estrofe aparece:

Logo após a curva pode aguardar
Uma nova estrada ou um portão secreto,
E ainda que os transponhamos hoje,
Amanhã poderemos vir por esse caminho
E tomar as trilhas ocultas que avançam
Em direção à Lua ou ao Sol.

Afinal de contas, a estrada não precisa ser infinita. Vá pelas trilhas ocultas.

9

FUNDAÇÕES

Toda grande empresa é única, mas existem umas poucas coisas que toda empresa precisa acertar de início. Enfatizo isso com tanta frequência que meus amigos apelidaram, brincando, de "lei de Thiel": *uma startup com problemas na sua fundação não consegue ser consertada.*

Os começos são especiais. São qualitativamente diferentes de tudo que vem depois. Isso era verdade 13,8 bilhões de anos atrás, na fundação do nosso cosmo: nos primeiros microssegundos de sua existência, o universo expandiu-se por um fator de 10^{30} — um milhão de trilhões de trilhões. Enquanto épocas cosmogônicas começavam e terminavam naqueles primeiros momentos, as próprias leis da física eram diferentes daquelas que conhecemos hoje.

Foi verdade também 227 anos atrás, na fundação dos Estados Unidos: questões fundamentais foram abertas ao debate pelos delegados durante os primeiros meses que passaram juntos na Convenção Constitucional. Quanto poder deveria ter o governo central? Como deveria ser distribuída a representação no Congresso? Qualquer que sejam seus pontos de vista sobre os consensos alcançados naquele verão na Filadélfia, eles têm sido difíceis de mudar desde então: após ratificar a Declaração dos Direitos em 1791, a Constituição só foi emendada 17 vezes. Atualmente a Califórnia possui a mesma representação no Senado que o Alasca, embora sua população seja mais de cinquenta vezes maior. Talvez esta seja uma característica, não uma falha. Mas estamos presos a ela enquanto os Estados Unidos existirem. Outra convenção constitucional é improvável. Atualmente debatemos apenas questões menores.

As empresas são como países nesse aspecto. Más decisões tomadas no princípio — se você escolher os sócios errados ou contratar as pessoas erradas, por exemplo — são dificílimas de corrigir depois de tomadas. Pode ser necessária uma crise da magnitude de uma falência para alguém tentar corrigi-las. Como um fundador, sua primeira missão é acertar nas primeiras coisas, porque você não pode construir uma grande empresa sobre fundamentos falhos.

MATRIMÔNIO FUNDADOR

Quando você começa algo, a primeira e mais crucial decisão a ser tomada é com quem começar. Escolher um cofundador é como casar, e o conflito entre fundadores é quase tão desagradável como o divórcio. O otimismo predomina no início de todo relacionamento. Não é romântico pensar friamente sobre o que poderia dar errado, de modo que as pessoas não pensam nisso. Mas se os fundadores desenvolvem divergências irreconciliáveis, a empresa torna-se a vítima.

Em 1999, Luke Nosek foi cofundador do PayPal comigo, e continuo trabalhando com ele no Founders Fund. Mas um ano antes do PayPal, investi numa empresa que Luke fundou com outra pessoa. Foi sua primeira startup, e um dos meus primeiros investimentos. Nenhum de nós percebeu então, mas o empreendimento estava fadado a fracassar desde o princípio porque Luke e seu cofundador não combinavam. Luke é um pensador brilhante e excêntrico. Seu cofundador era um tipo com MBA que não queria ficar de fora da corrida do ouro da década de 1990. Eles se conheceram num evento de networking, conversaram um pouco e decidiram abrir uma empresa juntos. Isso não é melhor do que casar com a primeira pessoa que você conhece nas máquinas caça-níqueis de Las Vegas: você *poderia* tirar a sorte grande, mas provavelmente não funcionará. A empresa deles fracassou desastrosamente, e eu perdi meu dinheiro.

Agora, quando penso em investir numa startup, estudo as equipes fundadoras. Capacidades técnicas e conjuntos de habilidades complementares são importantes, mas quão bem os fundadores se conhecem e quão bem trabalham juntos são igualmente importantes. Fundadores deveriam partilhar uma pré-história antes de criar uma empresa juntos — senão estão apenas jogando com a sorte.

PROPRIEDADE, POSSE E CONTROLE

Não são apenas os fundadores que precisam conviver bem. Todos em sua empresa precisam trabalhar bem juntos. Um libertário do Vale do Silício poderia dizer que você conseguiria resolver esse problema restringindo-se a uma empresa individual. Freud, Jung e todos os outros psicólogos têm uma teoria sobre como a mente de todo indivíduo se divide contra si próprio, mas nos negócios, ao menos, trabalhar sozinho garante o alinhamento. Infelizmente, também limita o tipo de empresa que você consegue construir. É muito difícil ir de 0 a 1 sem uma equipe.

Um anarquista do Vale do Silício talvez dissesse que você poderia alcançar o alinhamento perfeito desde que contrate as pessoas certas, que florescerão pacificamente sem nenhuma estrutura norteadora. Supõe-se que o acaso fortuito e até o caos de forma livre no local de trabalho ajudem a "abalar" todas as velhas regras formuladas e seguidas pelo resto do mundo. De fato, "se os homens fossem anjos, nenhum governo seria necessário". Mas as empresas anárquicas ignoram o que James Madison viu: os homens não são anjos. É por isso que os executivos que dirigem empresas e os diretores que as governam têm papéis distintos para desempenhar. É também por isso que as pretensões dos fundadores e investidores em relação a uma empresa são formalmente definidas. Você precisa de boas pessoas que convivam bem, mas precisa também de uma estrutura para ajudar a manter todos alinhados para o longo prazo.

Para prever fontes prováveis de desalinhamento em qualquer empresa, convém distinguir entre três conceitos:

- Propriedade: quem detém legalmente as ações de uma empresa?
- Posse: quem dirige realmente a empresa no dia a dia?
- Controle: quem governa formalmente os assuntos da empresa?

Uma startup típica aloca a propriedade entre fundadores, funcionários e investidores. Os gerentes e funcionários que operam a empresa também desfrutam a posse. E um conselho diretor, geralmente compreendendo fundadores e investidores, exerce o controle.

Em teoria, essa divisão funciona perfeitamente. A vantagem financeira da propriedade parcial atrai e recompensa investidores e trabalhadores. A posse efetiva motiva e fortalece fundadores e funcionários — significa que conseguem realizar as coisas. A supervisão do conselho diretor põe os planos dos gerentes em uma perspectiva mais ampla. Na prática, distribuir essas funções entre pessoas diferentes faz sentido, mas também multiplica as oportunidades de desalinhamento.

Para ver o desalinhamento em sua forma mais extrema, visite o departamento de trânsito dos Estados Unidos, o DMV. Suponha que você precise de uma carteira de motorista nova. Teoricamente, deve ser fácil de obter. O DMV é um órgão do governo, e vivemos numa república democrática. Todo o poder reside "no povo", que elege representantes para servi-lo no governo. Se você é um cidadão, é um coproprietário do DMV, e seus representantes controlam esse órgão. Portanto, deveria ser fácil entrar lá e obter o que você precisa.

Claro que a coisa não funciona assim. Nós, o povo, podemos "possuir" os recursos do DMV, mas essa propriedade é meramente fictícia. Os funcionários e tiranetes que operam o DMV, porém, desfrutam uma posse bem real de seus pequenos poderes. Mesmo o governador e os legisladores incumbidos do controle nominal sobre o DMV não conseguem mudar nada. A burocracia sempre dá um jeito de voltar à sua inércia, qualquer que sejam as ações que as autoridades eleitas tomem. Sem prestar contas a ninguém, o DMV está desalinhado de todos. Os burocratas podem tornar sua experiência de habilitação agradável ou assustadora, ao seu bel-prazer. Você pode tentar discutir teoria política e lembrá-los de que você é o chefe, mas isso dificilmente resultará em um serviço melhor.

As grandes corporações se saem melhor do que o DMV, mas mesmo assim estão sujeitas ao desalinhamento, especialmente entre propriedade e posse. O CEO de uma empresa gigantesca como a General Motors, por exemplo, possuirá algumas ações da empresa, mas apenas uma parte trivial do total. Portanto se sente incentivado a se recompensar pelo poder da posse, e não pelo valor da propriedade. Divulgar bons resultados trimestrais será suficiente para que conserve seu alto salário e seu jatinho executivo. O desalinhamento pode se insinuar ainda que ele receba uma remuneração em ações em nome do "valor ao acionista". Se essas ações vierem como uma recompensa pelo desempenho de curto prazo, será mais lucrativo e bem mais fácil para ele reduzir custos em vez de investir num plano que possa criar mais valor para todos os acionistas no futuro mais distante.

Ao contrário dos gigantes empresariais, as startups em estágio inicial são pequenas o suficiente para que os fundadores geralmente acumulem a propriedade e a posse. A maioria dos conflitos em uma startup irrompe entre a propriedade e o controle — ou seja, entre fundadores e investidores no conselho diretor. O potencial de conflito aumenta com o tempo, à medida que os interesses divergem: um membro do conselho diretor pode querer abrir o capital da empresa o mais cedo possível para beneficiar sua empresa de capital de risco enquanto os fundadores preferiram manter o capital fechado e ampliar o negócio.

Na sala do conselho diretor, menos é mais. Quanto menor o conselho, mais facilmente os diretores se comunicam, chegam ao consenso e exercem uma supervisão eficaz. Porém, essa própria eficácia significa que um conselho pequeno pode se opor vigorosamente à gerência em qualquer conflito. Por isso é crucial escolher sabiamente: cada membro individual do seu conselho diretor importa. Mesmo um único diretor problemático dará dores de cabeça, podendo até comprometer o futuro de sua empresa.

Um conselho de três é ideal. Seu conselho jamais deve exceder a cinco pessoas, a menos que sua empresa seja uma sociedade anônima. (Regulamentos do governo determinam que as sociedades anônimas possuam conselhos maiores — a média são nove membros). De longe o pior que você pode fazer é tornar seu conselho diretor hiperdimensionado. Quando observadores ignorantes veem uma organização sem fins lucrativos com dezenas de pessoas no conselho diretor, hiperdimensionado: "Veja quanta gente importante se dedica a esta organização! Deve ser extremamente bem-gerida." Na verdade, um conselho diretor imenso não exercerá nenhuma supervisão eficaz, fornecendo uma mera fachada para o microditador que realmente dirige a organização. Se você quiser esse tipo de rédea larga de seu conselho, torne-o gigantesco. Se quiser um conselho eficaz, mantenha-o pequeno.

NO ÔNIBUS OU FORA DELE

Como regra geral, todos que você envolve com sua empresa deveriam se envolver em tempo integral. Às vezes você terá de romper essa regra. Geralmente faz sentido contratar advogados e contadores externos, por exemplo. Porém, qualquer um que não possua opções de ações ou não receba um salário regular de sua empresa está fundamentalmente desalinhado. À margem, a tendência dele será distribuir valor a curto prazo, não ajudar a criar mais valor no futuro. Por isso contratar consultores não dá certo. Funcionários em tempo parcial não exercem bem suas atividades. Mesmo trabalhar remotamente deve ser evitado, porque o desalinhamento pode se insinuar sempre que os colegas não estiverem juntos o tempo todo, no mesmo local, diariamente. Se você está pensando em trazer alguém a bordo, a decisão é binária. Ken Kesey estava certo: ou você está no ônibus, ou está fora dele.

NEM TUDO É DINHEIRO

Para as pessoas se comprometerem plenamente, devem ser remuneradas de forma apropriada. Sempre que um empresário pede que eu invista em sua empresa, pergunto quanto ele pretende pagar a si mesmo. Uma empresa se sai melhor quanto menos paga ao CEO — este é um dos padrões individuais mais claros que observei ao investir em centenas de startups. *Em hipótese nenhuma um CEO de uma startup em estágio inicial, financiada por capital de risco, deve receber mais de 150 mil dólares anuais de salário.* Não importa se ele se habituou a ganhar bem mais no Google ou se tem uma hipoteca alta e contas pesadas da escola particular dos filhos. Se um CEO recebe 300 mil dólares por ano, corre o risco de se tornar mais um político do que um fundador. O pagamento alto o incentiva a defender o status quo com seu salário, não a trabalhar com todos os demais para revelar problemas e corrigi-los agressivamente. Um executivo com menor salário, em contraste, se concentrará em aumentar o valor da empresa como um todo.

Pagamentos baixos aos CEOs também fixam o padrão para todos os demais. Aaron Levie, o CEO da Box, sempre teve o cuidado de pagar a si mesmo menos do que a todos os outros na empresa — quatro anos após criar a Box, continuava morando a dois quarteirões do escritório num apartamento de um quarto sem nenhuma mobília exceto um colchão. Todos os funcionários notavam seu óbvio compromisso com a missão da empresa e o imitavam. Se um CEO não dá o exemplo aceitando o *menor* salário da empresa, pode fazer o mesmo recebendo o *maior* salário. Contanto que essa cifra ainda seja modesta, ela fixa um teto eficaz à remuneração em dinheiro.

O dinheiro é atraente. Oferece uma gama de opções: uma vez que você receba seu contracheque, pode fazer o que bem entender com ele. No entanto, uma remuneração alta em dinheiro ensina os trabalhadores a reivindicar o valor da empresa conforme já existe, em vez de investirem seu tempo na criação de valor novo no futuro. Um bônus em dinheiro é ligeiramente melhor do que um salário em dinheiro — ao menos depende de um trabalho bem-feito. Mas mesmo os denominados pagamentos de incentivo encorajam o pensamento de curto prazo e a apropriação de valor. Qualquer tipo de pagamento em dinheiro envolve mais o presente do que o futuro.

DIREITOS ADQUIRIDOS

As startups não precisam pagar salários altos porque podem oferecer algo melhor: a propriedade parcial da própria empresa. A participação acionária é a forma de remuneração que pode efetivamente orientar as pessoas para a criação de valor no futuro.

Contudo, para a participação acionária criar comprometimento em vez de conflito, você deve alocá-la com grande cuidado. Dar a todos a mesma participação costuma ser um erro: cada indivíduo tem talentos e responsabilidades diferentes, bem como custos de oportunidade diferentes, de modo que a igualdade parecerá arbitrária e injusta desde o princípio. Por outro lado, conceder quantidades diferentes desde o início com certeza parecerá igualmente injusto. O ressentimento nesse estágio pode matar uma empresa, mas não existe uma fórmula de propriedade para evitá-lo por completo.

Esse problema torna-se ainda mais sério com o tempo, conforme mais pessoas ingressam na empresa. Os funcionários iniciais costumam obter mais participação acionária porque correm mais risco, mas alguns funcionários posteriores podem ser ainda mais cruciais ao sucesso de um empreendimento. Uma secretária que ingressou no eBay em 1996 pode ter ganhado duzentas vezes mais do que seu chefe já veterano na indústria que entrou em 1999. O grafiteiro que pintou as paredes do escritório do Facebook em 2005 recebeu ações que acabaram valendo 200 milhões de dólares enquanto um engenheiro talentoso que ingressou em 2010 pode ter ganhado apenas 2 milhões de dólares. Como é impossível ser perfeitamente justo ao distribuir propriedade, os fundadores fariam bem em manter os detalhes em segredo. Enviar um e-mail por toda a empresa listando a participação acionária de cada um seria como lançar uma bomba nuclear no seu escritório.

A maioria das pessoas sequer deseja uma participação acionária. No PayPal, certa vez contratamos um consultor que prometeu ajudar a negociar acordos de desenvolvimento de negócios lucrativos. A única coisa que conseguiu negociar com sucesso foi um salário em dinheiro de 5 mil dólares diários. Ele se recusou a aceitar opções de ações como pagamento. Apesar das histórias de chefs de cozinha de startups se tornando milionários, as pessoas geralmente não consideram a participação acionária atraente. Não tem liquidez como o dinheiro. Está amarrada a uma empresa específica. E se a empresa não for em frente, não vale nada.

A participação acionária é uma ferramenta poderosa precisamente devido a essas limitações. Qualquer um que prefira possuir uma parte de sua empresa a ser pago em dinheiro revela uma preferência pelo longo prazo e um empenho em aumentar o valor de sua empresa no futuro. A participação acionária não consegue criar incentivos perfeitos, mas é a melhor forma de um fundador manter todos na empresa amplamente alinhados.

ESTENDENDO A FUNDAÇÃO

Bob Dylan disse que quem não está ocupado nascendo está ocupado morrendo. Se ele estiver certo, nascer não ocorre apenas em uma circunstância — você poderia continuar nascendo de algum modo, ao menos poeticamente. O momento fundador de uma empresa, porém, realmente só acontece uma vez: apenas bem no começo você tem a oportunidade de fixar as regras que alinharão as pessoas no sentido da criação de valor no futuro.

O tipo mais valioso de empresa mantém uma abertura à invenção que é mais característica dos inícios. Isso leva a uma segunda compreensão, menos óbvia, da fundação: ela dura enquanto a empresa estiver criando coisas novas e termina quando a criação cessa. Se você acertar no momento da fundação, poderá fazer mais do que criar uma empresa valiosa: poderá direcionar seu futuro distante à criação de coisas novas, em vez de à administração do sucesso herdado. Você poderia até estender sua fundação indefinidamente.

10

A MECÂNICA DA MÁFIA

COMECE COM UMA experiência imaginária: como parece-ria a cultura empresarial ideal? Os funcionários adora-riam seu trabalho. Gostariam tanto de ir ao escritório que as horas formais de expediente se tornariam obsoletas e ninguém consultaria o relógio. O local de trabalho deveria ser aberto, não dividido em cubículos, e os trabalhadores deveriam se sentir em casa: pufes e mesas de pingue-pongue seriam mais numerosos do que arquivos. Massagens grátis, chefs de sushi no restaurante da empresa e até aulas de ioga adoçariam o cenário. Bichos de estimação também seriam bem-vindos: tal-vez os cães e gatos dos funcionários poderiam se juntar ao aquário de peixes tropicais do escritório como mascotes não oficiais da empresa.

O que está errado nesse cenário? Ele inclui algumas das mordomias absurdas que o Vale do Silício tornou famosas, mas não inclui nada da substância — e sem substância as mor-domias não funcionam. Você não consegue nada de significa-tivo contratando um designer de interiores para embelezar seu escritório, um consultor de "recursos humanos" para corrigir suas políticas ou um especialista em *branding* para aprimorar suas frases de efeito. A "cultura empresarial" não existe separada da própria empresa: nenhuma empresa *possui* uma cultura. Toda empresa *é* uma cultura. Uma startup é uma equipe de pessoas com uma missão, e uma boa cultura é simplesmente como isso parece visto de fora.

ALÉM DO PROFISSIONALISMO

A primeira equipe que desenvolvi tornou-se conhecida no Vale do Silício como a "Máfia do PayPal", porque muitos dos meus ex-colegas continuaram ajudando uns aos outros criando e investindo em empresas de tecnologia de sucesso. Desde então, Elon Musk fundou a SpaceX e foi cofundador da Tesla Motors; Reid Hoffman foi cofundador do LinkedIn; Steve Chen, Chad Hurley e Jawed Karim fundaram juntos o YouTube; Jeremy Stoppelman e Russel Simmons fundaram a Yelp; David Sacks foi cofundador da Yammer; e eu fui cofundador da Palantir. Atualmente todas essas sete empresas valem mais de 1 bilhão de dólares cada. As amenidades do escritório do PayPal nunca atraíram grande cobertura da imprensa, mas a equipe se saiu extremamente bem, tanto junta como individualmente: a cultura foi forte o suficiente para transcender a empresa original.

Nós não formamos uma máfia examinando currículos e simplesmente contratando as pessoas mais talentosas. Eu havia visto os resultados ambíguos dessa abordagem em primeira mão ao trabalhar num escritório de advocacia de Nova York. Os advogados com quem trabalhei dirigiam um negócio valioso, e eram indivíduos impressionantes um por um. Mas os relacionamentos entre eles eram estranhamente tênues. Passavam o dia juntos, mas poucos deles pareciam ter muito a dizer aos colegas fora do escritório. Por que trabalhar com um grupo de pessoas que nem sequer gostam uma das outras? Muitos parecem pensar que esse é um sacrifício necessário para ganhar dinheiro. Mas adotar uma visão meramente profissional do local de trabalho, no qual agentes livres chegam e vão embora com uma base apenas transacional, é pior do que frio: sequer é racional. Como o tempo é seu ativo mais valioso, é estranho passá-lo trabalhando com pessoas que não imaginam nenhum futuro de longo prazo juntas. Se entre os frutos de seu tempo no trabalho não se pode contar com relacionamentos duráveis, você não investiu bem seu tempo — mesmo em termos puramente financeiros.

Desde o princípio, eu queria o PayPal firmemente integrado, em vez de transacional. Acreditava que relacionamentos mais fortes não apenas nos deixariam mais contentes e melhores no trabalho, mas também mais bem-sucedidos em nossas carreiras, mesmo além do PayPal. Portanto, resolvemos contratar pessoas que realmente gostassem de trabalhar juntas. Precisavam ser talentosas, mas ainda mais do que isso precisavam estar empolgadas por trabalhar especificamente para nós. Aquele foi o início da Máfia do PayPal.

RECRUTANDO CONSPIRADORES

Recrutar é uma competência central para qualquer empresa. Jamais deveria ser terceirizada. Você precisa de pessoas que não sejam capacitadas apenas no papel, mas que trabalharão juntas coesivamente depois de contratadas. As primeiras quatro ou cinco podem ser atraídas por grandes participações acionárias ou responsabilidades de peso. Mais importante do que essas ofertas óbvias é sua resposta a esta pergunta: *Por que o vigésimo funcionário deveria ingressar em sua empresa?*

Pessoas talentosas não *precisam* trabalhar para você; elas têm uma abundância de opções. Você deveria se fazer uma versão mais incisiva da pergunta: *Por que alguém ingressaria na sua empresa como seu vigésimo engenheiro quando poderia ir trabalhar no Google por mais dinheiro e prestígio?*

Eis algumas respostas ruins: "Suas opções de ações valerão mais aqui do que em outro lugar." "Você irá trabalhar com as pessoas mais inteligentes no mundo." "Você pode ajudar a resolver os problemas mais desafiadores do mundo." O que há de errado com ações valiosas, pessoas inteligentes ou problemas prementes? Nada — mas todas as empresas fazem essas mesmas alegações, portanto elas não o ajudarão a se destacar. Abordagens genéricas e indiferenciadas nada dizem sobre por que um recruta deveria ingressar na sua empresa em vez de tantas outras.

As únicas respostas boas são específicas à sua empresa, de modo que você não as achará neste livro. Mas há dois tipos gerais de boas respostas: respostas sobre sua missão e respostas sobre sua equipe. Você atrairá os funcionários de que precisa se conseguir explicar por que sua missão é irresistível: não apenas por que é importante em geral, mas por que você está fazendo algo importante que ninguém mais conseguirá. Esta é a única coisa capaz de tornar única sua importância. No PayPal, se você estivesse empolgado com a ideia de criar uma nova moeda digital para substituir o dólar americano, iríamos querer conversar com você. Do contrário, você não era a pessoa certa.

Todavia, mesmo uma grande missão não é suficiente. O tipo de recruta que mais se empenharia como funcionário também se perguntará: "Estes são os tipos de pessoas com quem eu quero trabalhar?" Você deveria ser capaz de explicar por que sua empresa é o local perfeito para ele pessoalmente. E se você não conseguir fazer isso, ele provavelmente não é a pessoa certa.

Acima de tudo, não entre na guerra das mordomias. Qualquer um que seja intensamente atraído por serviços de lavanderia grátis ou creche para bichos de estimação seria um acréscimo ruim à sua equipe. Limite-se a cobrir o básico, como seguro-saúde, e depois prometa o que ninguém mais consegue: a oportunidade de fazer um trabalho insubstituível, em um problema singular, junto com pessoas ótimas. Você provavelmente não pode ser o Google de 2014 em termos de remuneração ou mordomias, mas pode ser como o Google de 1999 se já tiver boas respostas sobre sua missão e equipe.

O QUE HÁ SOB OS CAPUZES DO VALE DO SILÍCIO

Vistos de fora, todos em sua empresa deveriam ser diferentes da mesma maneira.

Ao contrário das pessoas na Costa Leste, que vestem todas os mesmos jeans justos ou ternos risca de giz dependendo de sua atividade, os jovens em Mountain View e Palo Alto vão para o trabalho vestindo camisetas. É um clichê dizer que os que trabalham com tecnologia não se importam com suas roupas, mas se você olhar atentamente essas camisetas, verá os logotipos das empresas para as quais trabalham — e eles se importam muito com elas. O que torna um funcionário de startup instantaneamente distinguível aos de fora é a camiseta de marca ou casaco de capuz que faz com que se assemelhe aos seus colegas. Esse uniforme das startups sintetiza um princípio simples, mas essencial: todos em sua empresa deveriam ser diferentes da mesma maneira — uma tribo de pessoas com ideias afins fervorosamente dedicadas à missão da empresa.

Max Levchin, meu cofundador no PayPal, diz que as startups deveriam tornar suas equipes iniciais o mais pessoalmente semelhantes possível. As startups contam com recursos limitados e equipes pequenas. Precisam trabalhar rápido e com eficiência para sobreviverem, e isso é mais fácil de fazer quando todos compartilham uma mesma compreensão do mundo. A equipe inicial do PayPal trabalhava bem unida porque éramos todos o mesmo tipo de nerd. Todos adorávamos ficção científica: *Cryptonomicon* era leitura obrigatória, e preferíamos o capitalista *Guerra nas estrelas* ao comunista *Star Trek*. Mais importante, estávamos todos obcecados em criar uma moeda digital que seria controlada por indivíduos, em vez de governos. Para a empresa funcionar, não importava a aparência das pessoas ou seus países de origem, mas precisávamos que cada novo contratado estivesse igualmente obcecado.

FAÇA UMA SÓ COISA

Dentro da empresa, cada indivíduo deveria se distinguir nitidamente por seu trabalho.

Ao atribuir responsabilidades aos funcionários de uma startup, você poderia começar tratando isso como um simples problema de otimização para compatibilizar eficientemente os talentos com as tarefas. Mas ainda que você conseguisse acertar perfeitamente, qualquer dada solução logo fracassaria. Em parte isso ocorre porque as startups precisam avançar rápido, de modo que os papéis individuais não podem permanecer estáticos por longo tempo. Mas ocorre também porque as atribuições de tarefas não envolvem apenas os relacionamentos entre trabalhadores e tarefas. Envolvem também relacionamentos entre funcionários.

A melhor coisa que fiz como gerente no PayPal foi tornar cada pessoa na empresa responsável por fazer uma só coisa. A função de cada funcionário era única, e todos sabiam que eu o avaliaria por aquilo. Eu começara a agir assim apenas para simplificar a tarefa de gerir pessoas. Mas então observei um resultado mais profundo: definir papéis reduzia os conflitos. A maioria das brigas dentro de uma empresa ocorre quando colegas competem pelas mesmas responsabilidades. Por isso as startups enfrentam um risco especialmente alto, já que as funções dos cargos são fluidas nos estágios iniciais. Eliminar a competição facilita o desenvolvimento dos tipos de relacionamentos de longo prazo que transcendem o mero profissionalismo. Mais do que isso, a paz interna é o que possibilita que uma startup sobreviva. Quando uma startup fracassa, com frequência imaginamos que sucumbiu a rivais predatórios num ecossistema competitivo. Mas toda empresa é também seu próprio ecossistema, e uma luta entre facções a torna vulnerável às ameaças externas. O conflito interno é como uma doença autoimune: a causa técnica da morte pode ser pneumonia, mas a causa real permanece oculta à visão.

SOBRE SEITAS E CONSULTORES

No tipo mais intenso de organização, os membros só sociabilizam entre si. Ignoram suas famílias e abandonam o mundo externo. Em troca, experimentam fortes sensações de pertencimento e talvez obtenham acesso a "verdades" esotéricas negadas às pessoas comuns. Temos uma palavra para tais organizações: seitas. Culturas de dedicação total parecem malucas de fora, em parte porque as seitas mais notórias foram homicidas: Jim Jones e Charles Manson não terminaram bem.

Mas os empresários deveriam levar as culturas de dedicação extrema a sério. Uma atitude indiferente em relação ao trabalho é sinal de saúde mental? Uma atitude meramente profissional é a única abordagem sensata? O oposto exato de uma seita é uma consultoria tipo Accenture: além de lhe faltar uma missão própria, os consultores individuais entram e saem regularmente de empresas com as quais não mantêm nenhuma ligação de longo prazo.

Toda cultura empresarial pode ser traçada num espectro linear:

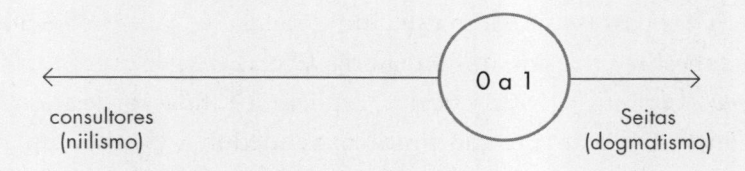

consultores
(niilismo)

0 a 1

Seitas
(dogmatismo)

As melhores startups poderiam ser consideradas tipos de seitas ligeiramente menos extremas. A maior diferença é que as seitas tendem a estar fanaticamente *erradas* sobre algo importante. As pessoas em uma startup de sucesso estão fanaticamente *certas* sobre algo que aqueles de fora não perceberam. Você não aprenderá esses tipos de segredos com consultores e não precisa se preocupar se sua empresa não faz sentido aos profissionais convencionais. Melhor ser chamado de seita — ou mesmo máfia.

11

SE VOCÊ DESENVOLVER, ELES VIRÃO?

Ainda que as vendas estejam por toda parte, a maioria das pessoas subestima sua importância. O Vale do Silício as subestima mais do que a maioria. O clássico geek *O guia do mochileiro das galáxias* chega a explicar a fundação de nosso planeta como uma reação contra os vendedores. Quando uma catástrofe iminente requer a evacuação do lar original da humanidade, a população escapa em três naves gigantes. Os pensadores, líderes e realizadores pegam a Nave A; os vendedores e consultores obtêm a Nave B; e os trabalhadores e artesãos ficam com a Nave C. A Nave B parte primeiro, e todos os seus passageiros se alegram futilmente. Mas os vendedores não percebem que foram pegos em uma armadilha: as pessoas das naves A e C sempre acharam que aquelas da Nave B eram inúteis, de modo que conspiraram para se livrar delas. E foi a Nave B que aterrissou na Terra.

A distribuição pode não importar em mundos fictícios, mas importa no nosso. Subestimamos a importância da distribuição — um termo genérico para tudo o que é necessário para vender um produto — porque compartilhamos o mesmo preconceito das pessoas das naves A e C: os vendedores e outros "intermediários" supostamente atrapalham, e a distribuição deveria fluir magicamente da criação de um produto bom. A presunção do *Campo dos sonhos* é especialmente popular no Vale do Silício, onde engenheiros estão inclinados a desenvolver coisas legais, em vez de vendê-las. Mas os clientes não virão só porque você desenvolveu algo. Você precisa fazê-lo acontecer, algo mais difícil do que parece.

NERDS VERSUS VENDEDORES

O setor de publicidade dos Estados Unidos aufere receitas anuais de 150 bilhões de dólares e emprega mais de 600 mil pessoas. Com 450 bilhões de dólares anuais, o setor de vendas é ainda maior. Ao ouvirem que 3,2 milhões de norte-americanos trabalham em vendas, executivos experientes suspeitarão de que o número é baixo, mas engenheiros poderão suspirar perplexos. O que tantos vendedores assim poderiam estar fazendo?

No Vale do Silício, os nerds desconfiam da publicidade, do marketing e das vendas porque parecem superficiais e irracionais. Mas propaganda importa porque funciona. Funciona com os nerds, e funciona com *você*. Você pode achar que é uma exceção: que *suas* preferências são autênticas e que a publicidade só funciona com *outras* pessoas. É fácil resistir às campanhas de vendas mais óbvias, de modo que cultivamos uma falsa confiança em nossa independência mental. Mas a publicidade não existe para fazê-lo comprar um produto imediatamente. Ela existe para implantar impressões sutis que impelirão vendas mais tarde. Quem não consegue reconhecer seu efeito provável sobre si está sendo duplamente enganado.

Os nerds estão habituados à transparência. Eles acrescentam valor tornando-se especialistas em uma habilidade técnica, como programação de computadores. Nas disciplinas da engenharia, uma solução funciona ou fracassa. Você pode avaliar o trabalho de outra pessoa com relativa facilidade, já que as aparências superficiais não importam muito. As vendas são o contrário: uma campanha orquestrada para mudar as aparências superficiais sem mudar a realidade subjacente. Os engenheiros acham isso trivial, se não fundamentalmente desonesto. Eles sabem que seus próprios trabalhos são difíceis, portanto quando veem vendedores rindo ao telefone com um cliente ou indo para almoços de duas horas suspeitam de que nenhum trabalho real está sendo realizado. Na verdade, as pessoas superestimam a dificuldade relativa da ciência e engenharia porque os desafios desses campos são óbvios. O que os nerds não veem é que é preciso trabalho duro para fazer as vendas parecerem fáceis.

AS VENDAS SÃO OCULTAS

Todo vendedor é um ator: sua prioridade é a persuasão, não a sinceridade. Daí a palavra "vendedor" poder ser um insulto, e o vendedor de carros usados, um arquétipo de trabalho duvidoso. Mas só reagimos negativamente a vendedores desastrados e óbvios — ou seja, os vendedores ruins. Há uma grande variedade de habilidades de vendas: existem muitas gradações entre novatos, experts e mestres. Existem até grandes mestres das vendas. Se você não conhece nenhum grande mestre, não é porque não os encontrou, mas porque a arte deles está oculta à vista. Tom Sawyer conseguiu persuadir seus amigos do bairro a pintarem o muro para ele — uma tacada de mestre. Mas convencê-los a realmente *pagar a ele* pelo privilégio de fazer suas tarefas foi a tacada de um grande mestre, e seus amigos não perceberam o truque. Pouca coisa mudou desde que Twain escreveu a obra em 1876.

Como na arte de atuar, as vendas funcionam melhor quando ocultas. Isso explica por que quase todos cujo trabalho envolva distribuição — quer estejam em vendas, marketing ou publicidade — ocupam cargos cujos nomes nada têm a ver com essas atividades. Pessoas que vendem publicidade são chamadas de "executivos de conta". Pessoas que vendem clientes trabalham em "desenvolvimento de negócios". Pessoas que vendem empresas são "banqueiros de investimentos". E pessoas que vendem a si mesmas se chamam "políticos". Existe uma razão para essas redescrições: nenhum de nós quer ser lembrado de que estão nos vendendo algo.

Qualquer que seja a carreira, a habilidade em vendas distingue superastros de perdedores. Em Wall Street, um recém-contratado começa como um "analista" ostentando conhecimento técnico, mas sua meta é tornar-se um fechador de negócios. Um advogado orgulha-se das credenciais técnicas, mas os escritórios de advocacia são dirigidos por fazedores de dinheiro que atraem grandes clientes. Mesmo professores universitários, que querem ser respeitados pelas realizações acadêmicas, invejam os autopromotores que definem seus próprios campos. Ideias acadêmicas sobre história ou língua inglesa não vendem a si próprias pelos méritos intelectuais. Mesmo a agenda da física fundamental e o rumo futuro das pesquisas do câncer são resultados da persuasão. A causa mais fundamental pela qual mesmo homens de negócios subestimam a importância das vendas é o esforço sistemático por ocultá-las em todos os níveis de todos os campos num mundo secretamente dirigida por elas.

O graal do engenheiro é um produto notável o suficiente para "vender a si mesmo". Mas qualquer um que dissesse realmente isso sobre um produto real deve estar mentindo: está delirando (mentindo para si) ou vendendo algo (e portanto se contradizendo). O clichê de negócios inverso adverte que "o melhor produto nem sempre vence". Os economistas atribuem isso à "dependência da trajetória": circunstâncias históricas específicas independentes da qualidade objetiva podem determinar quais produtos desfrutam uma adoção ampla. Isso é verdade, mas não significa que os sistemas operacionais que usamos e o layout dos teclados no qual digitamos foram impostos pelo mero acaso. É melhor pensar na distribuição como algo essencial ao design de seu produto. Se você inventou algo novo, mas não inventou uma forma eficaz de vendê-lo, possui um mau negócio — por melhor que seja o produto.

COMO VENDER UM PRODUTO

Vendas e distribuição superiores por si podem criar um monopólio, mesmo sem diferenciação de produto. A recíproca não é verdadeira. Por mais forte que seja seu produto — ainda que se enquadre facilmente em hábitos estabelecidos e que todos que o testam gostem dele imediatamente —, você ainda precisa respaldá-lo com um plano de distribuição forte.

Dois indicadores fixam os limites para a distribuição eficaz. O lucro líquido total que você aufere em média no decorrer de seu relacionamento com um cliente (Valor Vitalício do Cliente ou VVC) deve exceder a quantia que você gasta em média para adquirir um cliente novo (Custo de Aquisição do Cliente ou CAC). Em geral, quanto maior o preço de seu produto, mais precisa gastar para fazer uma venda — e mais sentido faz o gasto. Os métodos de distribuição podem ser traçados num continuum:

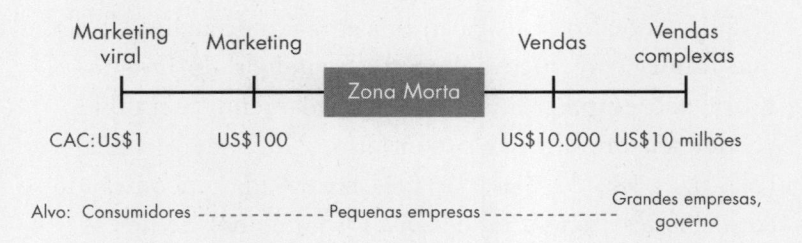

Vendas complexas

Se sua venda média tem sete ou mais dígitos, cada detalhe de cada negócio requer bastante atenção pessoal. Pode levar meses para se desenvolver os relacionamentos certos. Você pode fazer uma única venda a cada ano ou dois. Depois geralmente precisa fazer o acompanhamento durante a instalação e a manutenção do produto bem depois de fechado o negócio. É difícil de fazer, mas esse tipo de "venda complexa" é o único meio de vender alguns dos produtos mais valiosos.

A SpaceX mostra que é possível. Poucos anos após lançar sua startup de foguetes, Elon Musk persuadiu a Nasa a assinar contratos bilionários para substituir o ônibus espacial desativado por uma nave recém-projetada da SpaceX. A política importa nos grandes negócios tanto quanto a inventividade tecnológica, de modo que não foi fácil. A SpaceX emprega mais de 3 mil pessoas, a maioria na Califórnia. A indústria aeroespacial tradicional norte-americana emprega mais de 500 mil pessoas, espalhadas por todos os cinquenta estados. Não surpreende que membros do Congresso não queiram renunciar aos fundos federais destinados a seus distritos eleitorais. Mas como vendas complexas requerem fechar apenas uns poucos negócios por ano, um grande mestre das vendas como Elon

Musk pode aproveitar esse tempo para se concentrar nas pessoas mais cruciais — e até para superar a inércia política.

Vendas complexas funcionam melhor quando você não possui "vendedores". A Palantir, a empresa de análise de dados que fundei com meu colega da Faculdade de Direito Alex Karp, não emprega ninguém separadamente incumbido de vender seu produto. Pelo contrário, Alex, que é o CEO da Palantir, passa 25 dias por mês na estrada, encontrando-se com clientes atuais e potenciais. Os tamanhos de nossas vendas variam de 1 milhão a 100 milhões de dólares. Nesse nível de preço, os compradores querem conversar com o CEO, não com o vice-presidente de vendas.

Empresas com modelos de vendas complexos triunfam se obtêm um crescimento anual de 50% a 100% no decorrer de uma década. Isso parecerá lento para qualquer empresário sonhando com o crescimento viral. Você pode esperar que a receita decuplique assim que os clientes tomarem conhecimento de um produto obviamente superior, mas isso quase nunca ocorre. Uma boa estratégia de vendas começa pequena, como convém: um cliente novo poderia concordar em se tornar o mais importante, mas raramente se sentirá à vontade assinando um contrato completamente desproporcional ao que você vendeu antes. Uma vez que você disponha de um grupo de clientes de referência que usam com sucesso seu produto, pode começar o trabalho longo e metódico de lutar por contratos sempre maiores.

Vendas pessoais

A maioria das vendas não é particularmente complexa: os tamanhos de negócios médios poderiam variar entre 10 mil e 100 mil dólares, e geralmente o CEO não terá de fazer todas as vendas pessoalmente. O desafio aqui não é como fazer qualquer venda específica, mas como criar um processo pelo qual uma equipe de vendas de tamanho modesto pode levar o produto a um público maior.

Em 2008, a Box dispunha de um bom meio para as empresas armazenarem seus dados com segurança e fácil acesso na nuvem. Mas as pessoas não sabiam que precisavam disso — a computação na nuvem ainda não havia deslanchado. Naquele verão, Blake foi contratado como o terceiro vendedor da Box para ajudar a mudar o quadro. Começando com pequenos grupos de usuários com os maiores problemas de compartilhamento de arquivos, os vendedores da Box desenvolveram relacionamentos com cada vez mais usuários na empresa de cada cliente. Em 2009, Blake vendeu uma pequena conta da Box para a Clínica do Sono de Stanford, cujos pesquisadores precisavam de um meio fácil e seguro de armazenar registros de dados experimentais. Atualmente a universidade oferece uma conta da Box com marca Stanford a cada um de seus estudantes e membros do corpo docente, e a administração do Stanford Hospital usa a nuvem da Box. Se começasse tentando vender ao presidente da universidade uma solução para toda a organização, a Box não teria vendido nada. Uma abordagem de vendas complexas faria da Box uma startup fracassada e esquecida. Em vez disso, as vendas pessoais fizeram dela um negócio multibilionário.

Às vezes, o próprio produto é um tipo de distribuição. A ZocDoc é uma empresa da carteira do Founders Fund que ajuda as pessoas a marcarem consultas médicas pela internet. A empresa cobra dos médicos umas poucas centenas de dólares mensais para serem incluídos em sua rede. Com um tamanho de negócio médio de apenas poucos milhares de dólares, a ZocDoc necessita de muitos vendedores — tantos que dispõe de uma equipe de recrutamento interna só para contratar mais vendedores. Mas fazer vendas pessoais a médicos não traz apenas receita; ao acrescentar médicos à rede, os vendedores tornam o produto mais valioso aos consumidores (e mais usuários aumentam sua atratividade para os médicos). Mais de 5 milhões de pessoas por mês já usam o serviço, e se conseguir continuar aumentando sua rede para incluir a maioria dos médicos, virará um serviço fundamental para o setor de assistência médica norte-americano.

Estagnação da distribuição

Entre as vendas pessoais (nas quais os vendedores são obviamente necessários) e a publicidade tradicional (sem necessidade de vendedores) há uma zona morta. Suponha que você crie um serviço de software que ajude os proprietários de lojas de conveniência a controlar seus estoques e gerir os pedidos. Para um produto custando uns mil dólares, poderia não haver um bom canal de distribuição para alcançar as pequenas empresas que poderiam comprá-lo. Ainda que você disponha de uma proposta de valor clara, como fazer com que as pessoas a ouçam? A publicidade seria específica demais (não existe um canal de TV a que somente proprietários de lojas de conveniência assistam) ou ineficiente demais (sozinho, um anúncio no *Convenience Store News* provavelmente não convenceria nenhum proprietário a se desfazer de mil dólares por ano). O produto precisa de um esforço de vendas pessoal, mas nesse ponto de preço você simplesmente não dispõe dos recursos para enviar uma pessoa real a fim de conversar com cada cliente potencial. Por isso tantas empresas pequenas e médias não usam ferramentas que as maiores consideram corriqueiras. Não é porque os proprietários de pequenas empresas sejam exageradamente retrógrados ou porque boas ferramentas não existem: a distribuição é o gargalo oculto.

Marketing e publicidade

Marketing e publicidade funcionam para produtos de preço relativamente baixo que têm apelo de massa, mas carecem de qualquer método de distribuição viral. A Procter & Gamble não pode se dar ao luxo de pagar vendedores para irem de porta em porta vendendo sabão líquido lava-roupas. (A P&G *emprega* vendedores para conversar com redes de supermercados e grandes pontos de vendas varejistas, já que uma venda de sabão líquido para esses compradores pode significar 100 mil garrafas de 3,8 litros.) Para alcançar seu usuário final, uma empresa de produtos empacotados precisa produzir comerciais de TV, imprimir anúncios em jornais e projetar suas embalagens para atrair a atenção.

A publicidade pode funcionar para startups também, mas somente quando os custos de aquisição e valor vitalício do cliente tornam antieconômico qualquer outro canal de distribuição. Vejamos a startup de comércio eletrônico Warby Parker, que desenha e vende óculos de grau elegantes pela internet, em vez de vender para distribuidores de produtos ópticos. Cada óculos custa a partir de cem dólares, de modo que, supondo que o cliente comum compre alguns óculos em sua vida, o valor vitalício do cliente será de poucas centenas de dólares. Pouco demais para justificar a atenção pessoal em cada transação, mas, no outro extremo, produtos físicos de cem dólares não se tornam exatamente virais. Publicando anúncios e criando comerciais excêntricos na TV, a Warby consegue pôr suas melhores ofertas, mais baratas, diante de milhões de clientes usuários de óculos. A empresa afirma claramente em seu site que a "TV é um grande e ótimo megafone", e quando você só pode gastar algumas dezenas de dólares para adquirir um cliente novo, precisa do maior megafone que consegue achar.

Todo empreendedor inveja uma campanha publicitária reconhecível, mas as startups deveriam resistir à tentação de disputar com empresas maiores na incessante competição por exibir os anúncios de tevê mais memoráveis ou as façanhas de RP mais elaboradas. Sei disso por experiência própria. No PayPal contratamos James Doohan, que fez o papel de Scotty em *Star Trek*, para ser nosso porta-voz oficial. Quando lançamos nosso primeiro software para o PalmPilot, convidamos jornalistas para um evento no qual puderam ouvir James recitar sua frase imortal: "Venho irradiando pessoas por toda minha carreira, mas esta é a primeira vez que fui capaz de irradiar dinheiro!" Aquilo fracassou — os poucos que vieram cobrir o evento não se impressionaram. Éramos todos nerds, portanto achamos que Scotty, o engenheiro-chefe, poderia falar com mais autoridade do que, digamos, o capitão Kirk. (À semelhança de um vendedor, Kirk estava sempre se exibindo em algum local exótico e deixando que os engenheiros o resgatassem de seus próprios erros.) Estávamos errados: quando o Priceline.com escalou William Shatner (o ator que representou Kirk) para uma série famosa de comerciais de TV, para eles funcionou. Mas àquela altura o Priceline já era um participante importante do mercado. Nenhuma startup em estágio inicial pode igualar os orçamentos publicitários das grandes empresas. O capitão Kirk está realmente numa liga própria.

Marketing viral

Um produto é viral se sua funcionalidade básica encoraja os usuários a convidar seus amigos a se tornar usuários também. Foi assim que o Facebook e o PayPal cresceram rapidamente: cada vez que alguém compartilha algo com um amigo ou faz um pagamento, naturalmente convida cada vez mais pessoas para a rede. Além de barato, é rápido. Se cada usuário novo resultar em mais de um usuário adicional, você poderá obter uma reação em cadeia de crescimento exponencial. O ciclo viral ideal deveria ser o mais rápido e sem atrito possível. Vídeos engraçados no YouTube ou memes na internet atingem milhões de visualizações rapidamente porque possuem tempos de ciclo curtíssimos: as pessoas veem os gatinhos, acham fofinhos e enviam aos amigos em uma questão de segundos.

No PayPal, nossa base inicial de usuários era de 24 pessoas, todas as quais trabalhavam no PayPal. Adquirir clientes por anúncios em banners mostrou-se caro demais. Porém, ao pagarmos diretamente às pessoas para aderirem e depois pagarmos mais para trazerem amigos, conseguimos um crescimento extraordinário. Essa estratégia nos custava vinte dólares por cliente, mas também nos levou a um crescimento diário de 7%, o que significou que nossa base de clientes quase dobrava a cada dez dias. Após quatro ou cinco meses, tínhamos centenas de milhares de usuários e uma oportunidade viável de desenvolver uma grande empresa, oferecendo transferências de dinheiro por pequenas taxas que acabaram excedendo de longe nosso custo de aquisição do cliente.

Quem primeiro dominar o segmento mais importante de um mercado com potencial viral será o último empreendedor do mercado inteiro. No PayPal não queríamos adquirir mais usuários aleatoriamente: queríamos adquirir os usuários mais valiosos primeiro. O segmento de mercado mais óbvio nos pagamentos baseados em e-mail eram os milhões de emigrantes ainda usando a Western Union para transferir dinheiro às suas famílias no país de origem. O nosso produto tornava aquelas transferências fáceis, mas as transações eram pouco frequentes. Precisávamos de um segmento de mercado de nicho menor com uma velocidade de dinheiro maior —

um segmento que achamos nos "PowerSellers" do eBay, os vendedores profissionais de produtos on-line pelo mercado de leilão do eBay. Havia 20 mil. A maioria participava de vários leilões diários e comprava tanto quanto vendia, o que significava um fluxo constante de pagamentos. E como a solução do próprio eBay ao problema do pagamento era terrível, aqueles negociantes foram adotantes iniciais extremamente entusiasmados. Uma vez que o PayPal dominou esse segmento e se tornou *a* plataforma de pagamentos do eBay, ninguém conseguiria nos alcançar — no eBay ou fora dele.

A lei de potência da distribuição

Um desses métodos tende a ser bem mais poderoso que todos os outros para qualquer empresa: a distribuição segue uma lei de potência própria. Isso parece contraintuitivo para a maioria dos empresários, que supõem que mais é mais. Mas a abordagem de atacar em todas as frentes — empregar uns poucos vendedores, colocar anúncios em revistas e tentar acrescentar algum tipo de funcionalidade viral ao produto — não funciona. A maioria das empresas não consegue fazer nenhum canal de distribuição funcionar: vendas ruins mais do que um produto ruim são a causa mais comum de fracasso. Se você consegue fazer com que um único canal de distribuição funcione, possui uma ótima empresa. Se tenta diversos, mas não acerta nenhum, está perdido.

Vendendo a não clientes

A sua empresa precisa vender mais do que apenas seu produto. Você também precisa vender sua empresa a funcionários e investidores. Existe uma versão de "recursos humanos" da mentira de que ótimos produtos vendem a si próprios: "Esta empresa é tão boa que as pessoas vão implorar para ingressar nela." E existe uma versão de arrecadação de recursos também: "Esta empresa é tão boa que os investidores estarão batendo à nossa porta para investir." Clamor e frenesi são bem reais, mas raramente ocorrem sem um recrutamento e *pitching* [discurso de vendas] calculados sob a superfície.

Vender sua empresa à mídia é uma parte necessária de vendê-la a todos os outros. Nerds que instintivamente desconfiam da mídia costumam cometer o erro de tentar ignorá-la. Mas assim como você não pode esperar que as pessoas comprem um produto superior meramente por seus méritos óbvios, sem nenhuma estratégia de distribuição, jamais deve pressupor que as pessoas admirarão sua empresa sem uma estratégia de relações públicas. Ainda que seu produto específico não necessite de exposição à mídia para adquirir clientes, porque você tem uma estratégia de distribuição viral, a imprensa pode ajudar a atrair investidores e funcionários. Qualquer funcionário potencial que valha a pena contratar fará sua própria diligência. O que ele achar ou não ao pesquisar você no Google será crucial para o sucesso de sua empresa.

TODO MUNDO VENDE

Os nerds podem desejar que a distribuição pudesse ser ignorada e os vendedores banidos para outro planeta. Todos nós queremos acreditar que tomamos as nossas próprias decisões, que as vendas não nos atingem. Mas isso não é verdade. Todo mundo tem um produto para vender — não importa se você é um funcionário, um fundador ou um investidor. Isso é verdade ainda que sua empresa consista apenas de você e seu computador. Olhe em volta. Se você não vê nenhum vendedor, você é o vendedor.

12

HOMEM E MÁQUINA

Enquanto setores maduros estagnam, a tecnologia da informação avançou tão rapidamente que agora se tornou sinônimo da própria "tecnologia". Atualmente, mais de 1,5 bilhão de pessoas têm acesso instantâneo aos conhecimentos do mundo utilizando dispositivos que cabem no bolso. Qualquer smartphone atual possui milhares de vezes mais poder de processamento do que os computadores que guiaram os astronautas até a Lua. E se a lei de Moore continuar acelerada, os computadores de amanhã serão ainda melhores.

Os computadores já são suficientemente poderosos para superar as pessoas em atividades que costumávamos considerar claramente humanas. Em 1997, o Deep Blue da IBM derrotou o campeão mundial de xadrez Garry Kasparov. O melhor concorrente de todos os tempos do *Jeopardy!*,* Ken

---

* *Jeopardy!* é um programa de televisão atualmente exibido pela CBS Television Distribuition. É um show de perguntas e respostas (quiz) variando história, literatura, cultura e ciências. Diferentemente dos quizzes tradicionais, os temas são apresentados como respostas e os concorrentes devem formular a pergunta correspondente a cada um deles. (N. E.)

Jennings, sucumbiu ao Watson da IBM em 2011. E os veículos com piloto automático do Google hoje já rodam nas estradas da Califórnia. O Dale Earnhardt Jr. não precisa se sentir ameaçado por eles, mas o *Guardian* teme (em nome dos milhões de choferes e taxistas do mundo) que os carros robóticos "poderiam impelir a próxima onda de desemprego".

Todo mundo espera que os computadores façam mais no futuro — tanta coisa que alguns indagam: daqui a trinta anos, restará algo para as pessoas fazerem? "O software está devorando o mundo", o capitalista de risco Marc Andreessen anunciou com um tom de inevitabilidade. O capitalista de risco Andy Kessler soa quase alegre quando explica que a melhor forma de criar produtividade é "livrar-se das pessoas". A *Forbes* captou uma atitude mais ansiosa quando perguntou aos leitores: *Será que uma máquina vai substituir você?*

Os futuristas podem parecer esperar uma resposta positiva. Os ludistas estão tão preocupados com o fato de que serão substituídos que prefeririam que parássemos totalmente de desenvolver novas tecnologias. Nenhum lado questiona a premissa de que computadores melhores irão necessariamente substituir trabalhadores humanos. Mas essa premissa está errada: os computadores são complementos para os humanos, não substitutos. Os negócios mais valiosos das próximas décadas serão desenvolvidos por empresários que buscam fortalecer as pessoas, não torná-las obsoletas.

SUBSTITUIÇÃO VERSUS COMPLEMENTARIDADE

Quinze anos atrás, os trabalhadores norte-americanos estavam preocupados com a competição de substitutos mexicanos mais baratos. E aquilo fazia sentido, porque seres humanos conseguem substituir uns ao outros. Hoje em dia, as pessoas acham que conseguem ouvir o "som de sucção gigante" de Ross Perot* outra vez, mas o atribuem às torres de servidores no Texas, em vez de às fábricas com mão de obra barata em Tijuana. Os norte-americanos temem a tecnologia no futuro próximo porque a veem como uma repetição da globalização do passado próximo. Mas as situações são bem diferentes: pessoas competem por empregos e por recursos. Computadores não competem por nada disso.

Globalização significa substituição

Quando Perot alertou sobre a competição estrangeira, tanto George H. W. Bush quanto Bill Clinton pregavam o evangelho do livre comércio: já que cada pessoa possui uma força relativa em algum trabalho específico, em teoria a economia maximiza a riqueza quando as pessoas se especializam conforme suas vantagens e depois transacionam umas com as outras. Na prática, não está absolutamente claro quão bem o livre-comércio tem funcionado, para muitos trabalhadores ao menos. Os ganhos do comércio são maiores quando existe uma grande discrepância em vantagem comparativa, mas a oferta global de trabalhadores dispostos a fazer tarefas repetitivas por um salário baixíssimo é extremamente grande.

As pessoas não competem apenas para fornecer mão de obra; elas também demandam os mesmos recursos. Embora os consumidores norte-americanos tenham se beneficiado do acesso a brinquedos e têxteis baratos da China, tiveram de pagar preços maiores pela gasolina que passou a ser desejada por milhões de motoristas chineses. Quer as pessoas comam barba-

---

* O som dos empregos norte-americanos rumando para o México caso o Nafta, a que Perot se opunha, fosse aprovado. (N. T.)

tanas de tubarão em Xangai ou *tacos* de peixe em San Diego, todas precisam de comida e todas precisam de abrigo. E o desejo não para na subsistência — as pessoas exigirão cada vez mais à medida que a globalização continuar. Agora que milhões de camponeses chineses podem enfim contar com uma oferta segura de calorias básicas, querem uma parte maior vinda do porco do que de apenas cereais. A convergência do desejo é ainda mais óbvia no alto: todos os oligarcas têm o mesmo gosto pelo champanhe Cristal, de São Petersburgo a Pyongyang.

Tecnologia significa complementaridade

Agora pense na perspectiva da competição de computadores, em vez de a competição de trabalhadores humanos. No lado da oferta, os computadores são bem mais diferentes das pessoas do que duas pessoas quaisquer são diferentes entre si: homens e máquinas são bons em coisas fundamentalmente diferentes. As pessoas têm intencionalidade — forjamos planos e tomamos decisões em situações complicadas. Somos menos bons em compreender quantidades enormes de dados. Os computadores são exatamente o contrário: destacam-se no processamento eficiente de dados, mas lutam para fazer julgamentos básicos que seriam simples para qualquer ser humano.

Para entender a escala dessa divergência, vejamos outro dos projetos do Google de substituição de seres humanos por computadores. Em 2012, um dos seus supercomputadores chegou às manchetes quando, após examinar 10 milhões de *thumbnails* de vídeos do YouTube, aprendeu a identificar um gato com 75% de precisão. Um feito aparentemente impressionante — até você lembrar que uma criança de 4 anos consegue fazer isso perfeitamente. Quando um laptop barato supera os matemáticos mais inteligentes em algumas tarefas, mas mesmo um supercomputador com 16 mil CPUs não consegue

superar uma criança em outras, você pode concluir que os seres humanos e os computadores não são apenas mais, ou menos, poderosos em comparação um com o outro — são cate-
goricamente diferentes.

	OFERTA (de mão de obra)	DEMANDA (por recursos)
GLOBALIZAÇÃO (outros seres humanos)	Substituição: "O mundo é plano"	Competição mimética de consumidores
TECNOLOGIA (computadores melhores)	Predominantemente complementar	Máquinas não têm demandas: todo valor vai para as pessoas

As nítidas diferenças entre homem e máquina fazem
com que os ganhos de trabalhar com computadores sejam
bem maiores do que os do comércio com outras pessoas. Não
transacionamos com computadores, assim como não transacionamos com gado ou lâmpadas. E eis a verdade: computadores são ferramentas, não rivais.

As diferenças são ainda mais profundas do lado da demanda. Ao contrário das pessoas nos países em industrialização, os
computadores não sonham com comidas mais requintadas ou
mansões à beira-mar em Cap Ferrat. Tudo que requerem é uma
quantidade nominal de eletricidade, que sequer têm a inteligência de desejar. Quando projetamos novas tecnologias de com-

putador para ajudar a resolver problemas, obtemos todos os ganhos de eficiência de um parceiro comercial hiperespecializado sem termos de competir com ele por recursos. Apropriadamente entendida, a tecnologia é a única forma de escaparmos da competição num mundo em globalização. À medida que os computadores se tornarem cada vez mais poderosos, não serão substitutos dos seres humanos. Serão complementos.

NEGÓCIOS COMPLEMENTARES

A complementaridade entre computadores e seres humanos não é apenas um fato em macroescala. É também o caminho para desenvolver uma grande empresa. Passei a entender isso de minha experiência no PayPal. Em meados de 2000, havíamos sobrevivido ao crash das pontocom e vínhamos crescendo rápido, mas enfrentávamos um problema enorme: estávamos perdendo mais de 10 milhões de dólares em fraudes de cartões de crédito a cada mês. Como estávamos processando centenas, ou mesmo milhares de transações por minuto, não conseguíamos examinar cada uma — nenhuma equipe de controle de qualidade conseguiria trabalhar tão rápido.

Então fizemos o que qualquer grupo de engenheiros faria: tentamos automatizar uma solução. Primeiro, Max Levchin juntou uma equipe de elite de matemáticos para examinar as transferências fraudulentas em detalhes. Depois pegamos o que descobrimos e escrevemos um software para identificar automaticamente e cancelar transações falsas em tempo real. Mas logo ficou claro que aquela abordagem também não funcionaria: após uma ou duas horas, os ladrões perceberiam a reação e mudariam de tática. Estávamos lidando com um inimigo adaptável, e nosso software não conseguia se adaptar em resposta.

As evasões adaptáveis dos fraudadores enganavam nossos algoritmos de detecção automática, mas descobrimos que não enganavam tão facilmente os nossos analistas humanos. Assim Max e seus engenheiros reescreveram o software para adotar uma abordagem híbrida: o computador indicaria as transações mais suspeitas em uma interface de usuário bem projetada, e operadores humanos fariam o julgamento final de sua legitimidade. Graças àquele sistema híbrido — que chamamos de "Igor", nome do fraudador russo que se vangloriou de que jamais conseguiríamos detê-lo — obtivemos nosso primeiro lucro trimestral no primeiro trimestre de 2002 (em oposição a um prejuízo trimestral de 29,3 milhões de dólares um ano antes). O FBI pediu permissão para usar o Igor a fim de ajudar a detectar crimes financeiros. E Max pôde se vangloriar, pomposamente, mas com toda razão, de que era "o Sherlock Holmes dos subterrâneos da internet".

Esse tipo de simbiose homem-máquina permitiu ao PayPal continuar em atividade, o que por sua vez permitiu que centenas de milhares de empresas pequenas aceitassem os pagamentos de que precisavam para prosperar na internet. Nada disso seria possível sem a solução homem-máquina — embora a maioria das pessoas jamais a veria ou sequer ouviria falar dela.

Continuei pensando naquilo depois que vendemos o PayPal em 2002: se seres humanos e computadores juntos podiam alcançar resultados substancialmente melhores do que qualquer um deles sozinho, quais outros negócios valiosos poderiam se desenvolver com base nesse princípio básico? No ano seguinte, sugeri a Alex Karp, um antigo colega de Stanford, e a Stephen Cohen, um engenheiro de software, a ideia para uma nova startup: usaríamos a abordagem híbrida ser humano-computador do sistema de segurança do PayPal para identificar redes terroristas e fraudes financeiras. Já sabíamos que o FBI estava interessado, e em 2004 fundamos a Palantir, empresa de software que ajuda as pessoas a obterem uma compreensão de fontes de informações divergentes. A empresa está em vias de registrar vendas de 1 bilhão de dólares em 2014, e a *Forbes* chamou o software da Palantir de "aplicativo matador" por seu suposto papel em ajudar o governo a localizar Osama bin Laden.

Não temos detalhes para compartilhar dessa operação, mas podemos dizer que nem a inteligência humana por si, nem computadores sozinhos serão capazes de nos trazer segurança. Os dois maiores órgãos de espionagem dos Estados Unidos adotam abordagens opostas. A Central Intelligence Agency é dirigida por espiões que privilegiam os seres humanos. A National Security Agency é dirigida por generais que priorizam os computadores. Os analistas da CIA têm de lidar com tanto ruído que é muito difícil identificar as ameaças mais sérias. Os computadores da NSA conseguem processar quantidades enormes de dados, mas máquinas sozinhas não conseguem descobrir com certeza se alguém está tramando um ato terrorista. A Palantir pretende transcender esses vieses opostos: seu software analisa os dados alimentados pelo governo — ligações telefônicas de clérigos radicais no Iêmen ou contas bancárias associadas às atividades de células terroristas, por exemplo — e aponta as atividades suspeitas a um analista treinado para que as examine.

Além de ajudar a encontrar terroristas, analistas usando o software da Palantir têm conseguido prever onde insurgentes instalam artefatos explosivos improvisados no Afeganistão, processar casos notórios de *insider trading*, desarticular a maior quadrilha de pornografia infantil do mundo, apoiar o Centers for Disease Control and Prevention [Centro de Controle e

Prevenção de Doenças] no combate a surtos de doenças de origem alimentar e poupar aos bancos comerciais e governo centenas de milhões de dólares anuais com a detecção avançada de fraudes.

O software avançado tornou tudo isso possível, mas ainda mais importantes foram os analistas, promotores, cientistas e profissionais financeiros humanos, sem cujo envolvimento ativo o software teria sido inútil.

Pense no que os profissionais fazem em seus trabalhos hoje. Advogados precisam conseguir solucionar problemas espinhosos de diversas maneiras — o tom muda dependendo de se você está falando a um cliente, advogado antagônico ou juiz. Os médicos precisam combinar uma compreensão clínica com a capacidade de comunicá-la a pacientes leigos. E bons professores não são apenas especialistas em suas disciplinas: precisam também compreender como ajustar seu ensino aos interesses e estilos de aprendizado de diferentes indivíduos. Os computadores poderiam ser capazes de realizar algumas dessas tarefas, mas não conseguem combiná-las eficazmente. Uma tecnologia melhor em Direito, Medicina e Educação não substituirá os profissionais, mas permitirá que façam ainda mais.

O LinkedIn fez exatamente isso para os recrutadores. Quando o LinkedIn foi fundado em 2003, não entrevistou os recrutadores para achar problemas distintos precisando de solução. Nem tentou escrever um software que substituísse completamente os recrutadores. O recrutamento é em parte trabalho de detetive e em parte, vendas: você precisa examinar o histórico dos candidatos, avaliar suas motivações e compatibilidade e persuadir os mais promissores a se unirem a você. Substituir eficazmente todas essas funções por um computador seria impossível. Em vez disso, o LinkedIn resolveu fazer mudanças na forma como os recrutadores faziam seus trabalhos.

Atualmente, mais de 97% dos recrutadores usam o LinkedIn e seu poderoso recurso de busca e filtragem para contratar candidatos a empregos, e a rede também cria valor para centenas de milhões de profissionais que a utilizam para gerenciar suas marcas pessoais. Se o LinkedIn tentasse simplesmente substituir os recrutadores por tecnologia, não teria um negócio hoje.

A ideologia da ciência da computação

Por que tantas pessoas ignoram o poder da complementaridade? Tudo começa na escola. Os engenheiros de software tendem a trabalhar em projetos que substituem os esforços humanos, porque para isso foram treinados. Os acadêmicos conquistam suas reputações pela pesquisa especializada. Seu objetivo básico é publicar artigos, e a publicação significa respeitar os limites de uma disciplina específica. Para cientistas da computação, significa reduzir as capacidades humanas a tarefas especializadas que os computadores possam ser treinados a dominar uma por uma.

Veja os campos mais badalados na ciência da computação hoje. O próprio termo "aprendizado de máquina" evoca uma imagística de substituição, e seus partidários parecem acreditar que os computadores podem aprender a realizar quase qualquer tarefa, na medida em que os alimentamos com dados de treinamento suficientes. Qualquer usuário do Netflix ou da Amazon experimentou os resultados do aprendizado de máquina em primeira mão: as duas empresas utilizam algoritmos para recomendar produtos com base em seu histórico de consultas e compras. Alimentando mais dados as recomendações ficam ainda melhores. O Google Translate funciona da mesma forma, fornecendo traduções grosseiras, mas aproveitáveis, para qualquer das oitenta línguas suportadas — não porque o software entenda a linguagem humana, mas porque extraiu padrões pela análise estatística de um grande acervo de textos.

Outra palavra popular que representa uma tendência à substituição é megadados [*big data*]. As empresas atuais têm um apetite insaciável por dados, erroneamente acreditando que mais dados sempre criam mais valor. Mas megadados costumam ser dados burros. Os computadores conseguem achar padrões que escapam aos humanos, mas não sabem como comparar padrões de fontes diferentes ou como interpretar comportamentos complexos. Conclusões úteis só podem advir de um analista humano (ou do tipo de inteligência artificial generalizada que existe apenas na ficção científica).

Deixamo-nos encantar pelos "megadados" somente porque glamorizamos a tecnologia. Ficamos impressionados com pequenas façanhas realizadas apenas por computadores, mas ignoramos as grandes realizações da complementaridade, porque a contribuição humana as torna menos misteriosas. Watson, Deep Blue e algoritmos de aprendizado de máquina cada vez melhores são interessantes. Mas as empresas mais valiosas no futuro não perguntarão quais problemas podem ser solucionados pelos computadores sozinhos. Pelo contrário, perguntarão: *Como os computadores podem ajudar os humanos a resolverem problemas difíceis?*

COMPUTADORES CADA VEZ MAIS INTELIGENTES: AMIGOS OU INIMIGOS?

O futuro da computação é necessariamente cheio de mistérios. Tornou-se convencional ver inteligências robóticas antropomorfizadas cada vez mais inteligentes, como Siri e Watson, como precursoras do que virá pela frente. Uma vez que os computadores consigam responder a todas as nossas perguntas, talvez perguntarão por que devem permanecer subservientes a nós.

O desenlace lógico desse pensamento substitucionista chama-se "IA forte"[Inteligência Artificial Forte]: computadores capazes de eclipsar os humanos em todas as dimensões importantes. Claro que os ludistas ficam apavorados com essa possibilidade. Até os futuristas ficam um pouco perturbados com ela. Não está claro se a IA forte salvaria a humanidade ou a condenaria. Supõe-se que a tecnologia *aumente* nosso domínio sobre a natureza e *reduza* o papel do acaso em nossas vidas. Construir computadores mais inteligentes que os seres humanos poderia realmente trazer o acaso de volta com grande força. A IA forte é como um bilhete de loteria cósmica: se ganharmos, obteremos a utopia; se perdermos, Skynet nos substituirá, acabando com nossa existência.

O FUTURO DA IA FORTE?

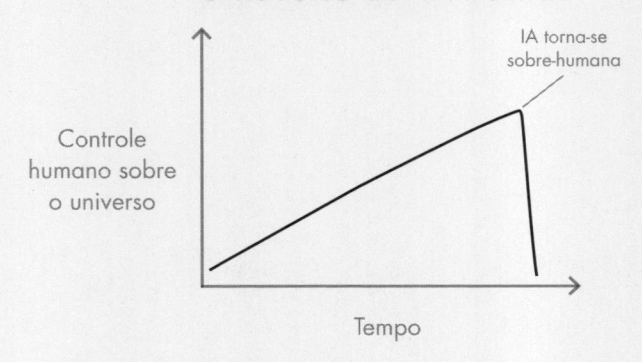

Mas ainda que a IA forte seja uma possibilidade real e não um mistério imponderável, não acontecerá tão cedo: a substituição por computadores é uma preocupação para o século XXII.

Medos vagos sobre o futuro distante não devem nos impedir de fazer planos definidos agora. Os ludistas afirmam que não deveríamos construir computadores que um dia possam substituir as pessoas. Os futuristas desvairados afirmam que deveríamos. Essas duas posições são mutuamente exclusivas, mas não são exaustivas: existe espaço entre elas para pessoas sensatas desenvolverem um mundo bem melhor nas próximas décadas. À medida que descobrirmos formas novas de usar os computadores, eles não se tornarão melhores apenas nos tipos de coisas que as pessoas já fazem; eles nos ajudarão a fazer o que antes era inimaginável.

13

ENXERGANDO VERDE

Bem no início do século XXI, todos concordavam que o próximo grande avanço seria a tecnologia limpa. Tinha de ser: em Pequim, a poluição atmosférica se tornara tão grave que as pessoas não conseguiam enxergar de um prédio a outro — respirar era um risco à saúde. Bangladesh, com seus poços d'água contaminados de arsênico, vinha sofrendo o que o *New York Times* denominou "o maior envenenamento em massa da história". Nos Estados Unidos, os furacões Ivan e Katrina foram considerados prenúncios da devastação vindoura causada pelo aquecimento global. Al Gore implorou que atacássemos esses problemas "com urgência e empenho só vistos anteriormente quando as nações se mobilizaram para a guerra". Pessoas arregaçaram as mangas: empresários abriram milhares de empresas de tecnologia limpa, e investidores injetaram mais de 50 bilhões de dólares nelas. Assim começou a cruzada para limpar o mundo.

Aquilo não funcionou. Em vez de um planeta mais saudável, obtivemos uma enorme bolha da tecnologia limpa.

Solyndra é o fantasma verde mais famoso, mas a maioria das empresas de tecnologia limpa teve finais igualmente desastrosos — mais de quarenta fabricantes de painéis solares encerraram as atividades ou pediram falência, apenas em 2012. O índice principal das empresas de energia alternativa mostra a dramática deflação da bolha:

RENIXX (ÍNDICE INDUSTRIAL DE ENERGIA RENOVÁVEL)

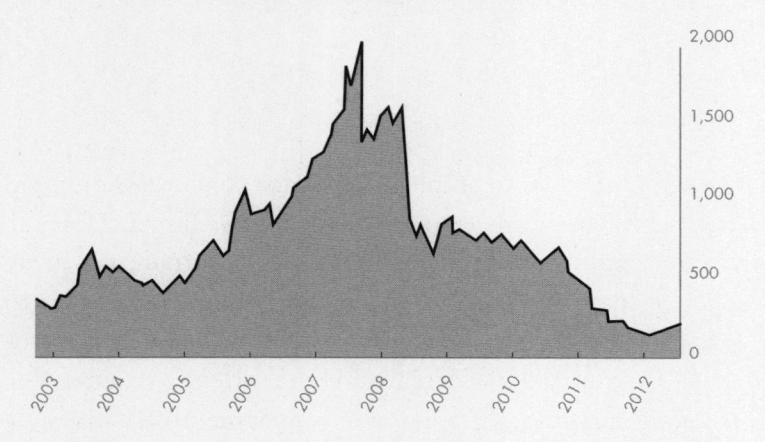

Por que a tecnologia limpa fracassou? Os conservadores acham que já sabem a resposta: assim que a energia verde tornou-se uma prioridade para o governo, foi desvirtuada. Mas realmente havia (e continua havendo) bons motivos para fazer da energia uma prioridade. E a verdade sobre a tecnologia limpa é mais complexa e mais importante do que o fracasso do governo. A maioria das empresas de tecnologia limpa fracassou porque negligenciou uma ou mais das sete perguntas a que toda empresa precisa responder:

1. A pergunta sobre a engenharia

   Você consegue criar tecnologia revolucionária em vez de melhorias graduais?

2. A pergunta sobre o momento certo

   Agora é o momento certo para iniciar seu negócio específico?

3. A pergunta sobre o monopólio

   Você está começando com uma porção grande de um mercado pequeno?

4. A pergunta sobre as pessoas

   Você dispõe da equipe certa?

5. A pergunta sobre a distribuição

   Você dispõe de um meio de não apenas criar, mas entregar seu produto?

6. A pergunta sobre a durabilidade

   Sua posição no mercado será defensável em dez e vinte anos no futuro?

7. A pergunta sobre o segredo

   Você identificou uma oportunidade única que os outros não veem?

Já discutimos esses elementos antes. Não importa o seu setor, qualquer grande plano de negócios precisa abordar cada um deles. Se você não dispõe de boas respostas a essas perguntas, deparará com muita "má sorte" e seu negócio fracassará. Se acertar em todas as sete, dominará a sorte e vencerá. Mesmo acertar cinco ou seis pode funcionar. Mas o impressionante sobre a bolha da tecnologia limpa foi que as pessoas estavam abrindo empresas com nenhuma boa resposta — o que significava esperar um milagre.

É difícil saber exatamente por que qualquer empresa de tecnologia limpa específica falhou, já que quase todas cometeram diversos erros graves. Mas como *qualquer um* desses erros é suficiente para condenar sua empresa, vale a pena examinar o cartão de pontuação perdedor da tecnologia limpa em mais detalhes.

A PERGUNTA SOBRE A ENGENHARIA

Uma grande empresa de tecnologia deveria possuir tecnologia proprietária, uma ordem de grandeza melhor do que seu substituto mais próximo. Mas as empresas de tecnologia limpa raramente produziam melhorias de duas vezes, menos ainda de dez vezes. Às vezes suas ofertas eram realmente *piores* do que os produtos que buscavam substituir. A Solyndra desenvolveu células solares cilíndricas originais, mas a uma primeira aproximação as células cilíndricas são apenas $1/\pi$ tão eficientes quanto as planas — elas simplesmente não recebem tanta luz solar direta. A empresa procurou corrigir essa deficiência usando espelhos para refletir mais luz solar para atingir os fundos dos painéis, mas fica difícil se recuperar de um ponto de partida radicalmente inferior.

As empresas precisam lutar por melhorias de dez vezes porque melhorias apenas graduais acabam não significando nenhuma melhoria para o usuário final. Suponhamos que você desenvolva uma nova turbina eólica que seja 20% mais eficiente do que qualquer tecnologia existente — ao testá-la no laboratório. À primeira vista parece bom, mas o resultado do laboratório não começará a contrabalançar as despesas e riscos enfrentados por qualquer produto novo no mundo real. E ainda que seu sistema seja realmente 20% melhor para o comprador, as pessoas estão tão habituadas a afirmações exageradas que você deparará com o ceticismo ao tentar vendê-lo. Somente quando seu produto é dez vezes melhor você consegue oferecer ao cliente uma superioridade transparente.

A PERGUNTA SOBRE O MOMENTO CERTO

Os empresários da tecnologia limpa esforçaram-se para convencer a si mesmos de que sua hora marcada havia chegado. Ao anunciar sua empresa nova em 2008, Andrew Wilson, CEO da SpectraWatt, afirmou que "a indústria dos painéis solares se compara ao ponto no qual a indústria dos microprocessadores estava no final da década de 1970. Há muito por ser descoberto e melhorado". A segunda parte estava certa, mas a analogia com o microprocessador foi equivocada. Desde o desenvolvimento do primeiro microprocessador em 1970, a computação avançou não apenas rapidamente, mas exponencialmente. Veja a história do lançamento inicial de produtos da Intel:

Geração	Modelo do processador	Ano
4-bit	4004	1971
8-bit	8008	1972
16-bit	8086	1978
32-bit	iAPX 432	1981

A primeira bateria solar de silício, por outro lado, foi criada pelo Bell Labs em 1954 — mais de *meio século* antes do comunicado à imprensa de Wilson. A eficiência fotovoltaica melhorou nas décadas seguintes, mas lenta e linearmente: a primeira bateria solar da Bell tinha cerca de 6% de eficiência. Nem as atuais células solares de silício cristalino nem as células de película fina modernas excederam 25% de eficiência no campo. Houve poucos progressos de engenharia em meados da década de 2000 que indicassem uma decolagem iminente. Entrar num mercado em lento movimento pode ser uma estratégia boa, mas somente se você dispuser de um plano definido e realista para dominá-lo. As empresas fracassadas da tecnologia limpa não possuiam nenhum.

A PERGUNTA SOBRE O MONOPÓLIO

Em 2006, o bilionário investidor em tecnologia John Doerr anunciou que "verde é o novo vermelho, branco e azul". Ele poderia ter parado no "vermelho". Como disse o próprio Doerr, "os mercados do tamanho da internet são de bilhões de dólares; os mercados de energia são de trilhões." O que ele não disse é que mercados imensos de trilhões de dólares significavam competição implacável, sangrenta. Outros ecoaram Doerr repetidas vezes: na década de 2000, ouvi dezenas de empresários da tecnologia limpa começarem apresentações do PowerPoint fantasticamente otimistas com histórias exageradas de mercados de trilhões de dólares — como se isso fosse algo bom.

Os executivos da tecnologia limpa enfatizaram a generosidade de um mercado de energia grande o suficiente para todos que chegassem, mas cada um tipicamente acreditava que *sua própria* empresa dispunha de uma vantagem competitiva. Em 2006, Dave Pearce, CEO da fabricante de painéis solares MiaSolé, admitiu a um painel do Congresso que sua empresa era apenas uma dentre diversas startups "fortíssimas" trabalhando num tipo particular de célula solar de película fina. Minutos depois, Pearce previu que a MiaSolé se tornaria "o maior produtor de células solares de película fina do mundo" dentro de um ano. Aquilo não ocorreu, mas ainda que ocorresse poderia não ter ajudado: a célula de película fina é apenas uma dentre mais de uma dúzia de tipos de células solares. Os clientes não se importarão com qualquer tecnologia específica se esta não resolver um problema específico de forma superior. E, se você não conseguir monopolizar uma solução única para um mercado pequeno, ficará paralisado em meio à concorrência agressiva. Foi o que ocorreu à MiaSolé, adquirida em 2013 por centenas de milhões de dólares a menos do que seus investidores haviam aplicado na empresa.

Exagerar sua própria singularidade é uma forma fácil de detonar a pergunta do monopólio. Suponhamos que você esteja dirigindo uma empresa que instalou com sucesso centenas de sistemas de painéis solares com uma capacidade de geração de energia combinada de 100 megawatts. Como a capacidade de produção de energia solar total dos Estados Unidos é de 950 megawatts, você detém 10,53% do mercado. Parabéns, você diz a si mesmo: você é um *player*, um participante do mercado.

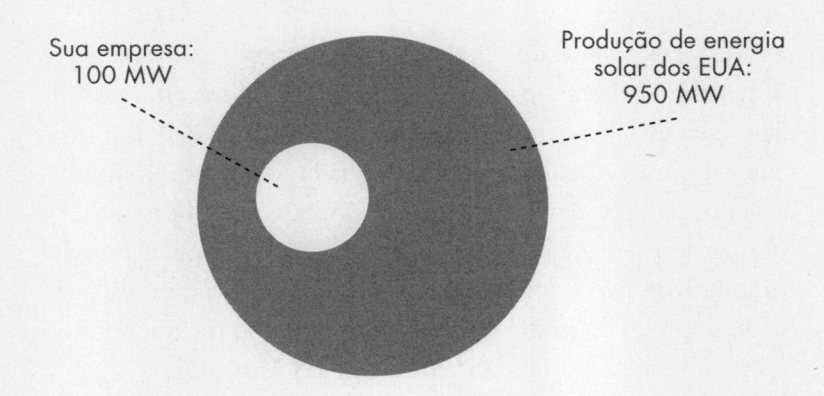

Sua empresa: 100 MW

Produção de energia solar dos EUA: 950 MW

Mas e se o mercado de energia solar dos Estados Unidos não for o mercado relevante? E se o mercado relevante for o mercado solar *global*, com uma capacidade de produção de 18 gigawatts? Seus 100 megawatts agora fazem de você um peixe minúsculo: subitamente você detém menos de 1% do mercado.

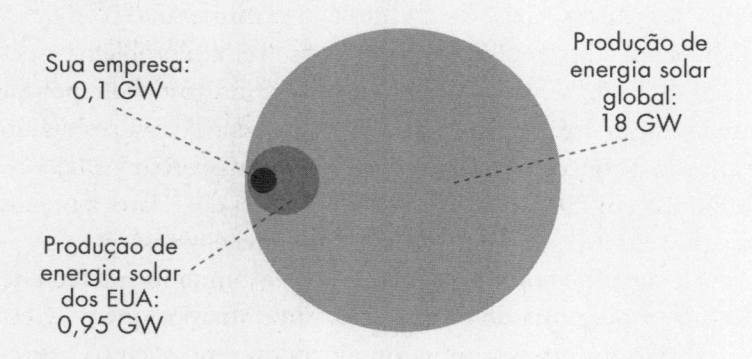

E se o indicador apropriado não for a energia solar global, e sim a energia renovável *em geral*? A capacidade de produção anual de energia renovável é de 420 gigawatts globalmente. Você simplesmente encolheu para 0,02% do mercado. E comparado com a capacidade de geração de energia global total de 15 mil gigawatts, seus 100 megawatts não passam de uma gota no oceano.

O pensamento dos empresários da tecnologia limpa sobre os mercados foi extremamente confuso. Eles reduziam retoricamente seu mercado para parecer diferenciado, para depois mudarem de opinião e pedirem para ser avaliados com base em mercados enormes, em tese lucrativos. Mas não se pode dominar um submercado se ele é fictício, e mercados enormes são altamente competitivos, não altamente alcançáveis. A maioria dos fundadores de empresas de tecnologia limpa teria se saído melhor abrindo um restaurante britânico no centro de Palo Alto.

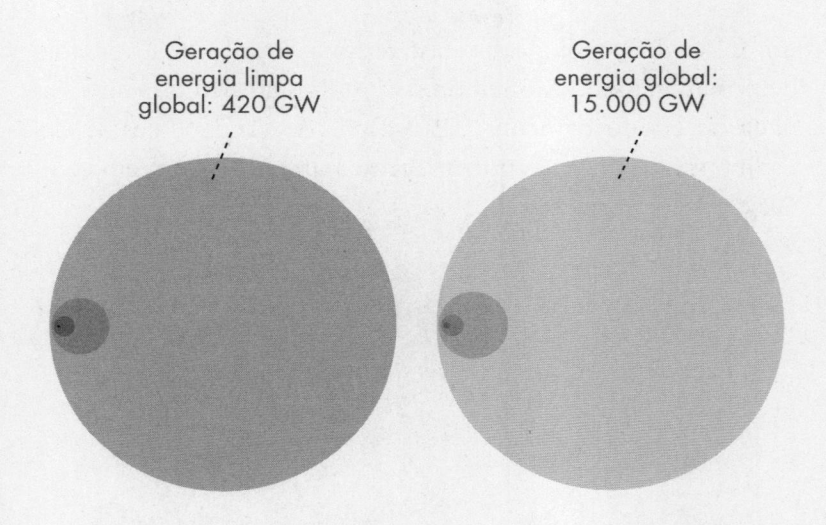

Geração de energia limpa global: 420 GW

Geração de energia global: 15.000 GW

A PERGUNTA SOBRE AS PESSOAS

Problemas de energia são problemas de engenharia, portanto você esperaria encontrar nerds dirigindo empresas de tecnologia limpa. Você estaria errado: as que fracassaram eram dirigidas por equipes surpreendentemente não técnicas. Aqueles executivos-vendedores eram bons em arrecadar capital e assegurar subsídios governamentais, mas não tão bons em desenvolver produtos que os clientes quisessem comprar.

No Founders Fund vimos isso chegando. A pista mais óbvia eram os trajes: executivos da tecnologia limpa circulavam de terno e gravata. Aquele foi um enorme sinal de alerta, porque tecnólogos reais usam jeans e camiseta. Assim instituímos uma regra geral: passar adiante qualquer empresa cujos fundadores usassem roupas sérias para reuniões de vendas. Talvez também teríamos evitado esses maus investimentos se tivéssemos dedicado tempo a avaliar em detalhes a tecnologia de cada empresa. Mas a sacada da equipe — nunca investir em um CEO de tecnologia que use terno — nos levou à verdade bem mais rápido. As melhores vendas estão ocultas. Não há nada de errado com um CEO capaz de vender, mas se ele realmente *parece* um vendedor, provavelmente é ruim em vendas e pior em tecnologia.

Brian Harrison, CEO da Solyndra; Elon Musk, CEO da Tesla Motors

A PERGUNTA SOBRE A DISTRIBUIÇÃO

As empresas de tecnologia limpa cortejaram com eficiência governo e investidores, mas com frequência esqueceram os clientes. Aprenderam da maneira mais difícil que o mundo não é um laboratório: vender e entregar um produto é ao menos tão importante quanto o próprio produto.

Pergunte à startup de veículos elétricos israelense Better Place, que de 2007 a 2012 arrecadou e gastou mais de 800 milhões de dólares para desenvolver bateria substituível e postos de recarga para carros elétricos. A empresa buscava "criar uma alternativa verde que reduzisse nossa dependência das tecnologias de transporte altamente poluentes". E fez exatamente isso — ao menos mil carros, o número vendido antes de entrar com pedido de falência. Mesmo vender aquela quantidade foi uma façanha, porque cada um daqueles carros foi muito difícil de os clientes comprarem.

Em primeiro lugar, nunca ficou claro o que você estava realmente comprando. A Better Place comprava sedans da Renault e os reequipava com baterias e motores elétricos. Assim, você estava comprando um Renault elétrico ou um Better Place? De qualquer modo, se decidisse comprá-lo, tinha de superar uma série de obstáculos. Primeiro, precisava da aprovação da Better Place. Para isso, tinha de provar que morava próximo o suficiente de um posto de troca de bateria da Better Place e prometer seguir rotas previsíveis. Caso passasse pelo teste, tinha de se inscrever num plano para recarregar seu carro. Somente então podia ser iniciado no hábito novo de parar na estrada para trocar de bateria.

A Better Place achava que sua tecnologia falava por si própria, não se preocupando em comercializá-la claramente. Refletindo sobre o fracasso da empresa, um cliente frustrado indagou: "Por que não havia um outdoor em Tel Aviv mostrando uma foto de um Toyota Prius por 160 mil *shekels* e uma foto deste carro por 160 mil mais combustível por quatro anos?" Mesmo assim, ele comprou um dos carros, mas ao contrário da maioria das pessoas, era um aficionado que "faria de tudo para continuar o dirigindo". Infelizmente, não pôde: como afirmou o conselho diretor da Better Place após vender os ativos da empresa por meros 12 milhões de dólares em 2013: "Os desafios técnicos superamos com sucesso, mas os outros obstáculos não conseguimos superar."

A PERGUNTA SOBRE A DURABILIDADE

Todo empresário deveria planejar ser o último empreendedor de seu mercado específico. Para isso deve começar se perguntando: como será o mundo daqui a dez, vinte anos e como meu negócio se encaixará?

Poucas empresas de tecnologia limpa tinham uma boa resposta. Como resultado, todos os seus obituários se assemelham. Alguns meses antes de entrar com pedido de falência em 2011, a Evergreen Solar explicou sua decisão de fechar uma de suas fábricas nos Estados Unidos:

> Os fabricantes de painéis solares na China receberam um considerável apoio financeiro do governo. [...] Embora nossos custos de produção [...] estejam agora abaixo dos níveis originalmente planejados e menores do que os da maioria dos fabricantes ocidentais, ainda são bem mais altos do que aqueles de nossos concorrentes de baixo custo na China.

Mas foi apenas em 2012 que o coro de "é culpa da China" realmente explodiu. Discutindo seu pedido de falência, a Abound Solar, apoiada pelo Departamento de Energia americano, culpou "ações de precificação agressivas das empresas de painéis solares chinesas" que "tornavam muito difícil para uma empresa startup em estágio inicial [...] aumentar sua escala nas condições de mercado atuais". Quando a fabricante de painéis solares Energy Conversion Devices faliu, em fevereiro de 2012, fez mais do que culpar a China num comunicado à imprensa, movendo um processo de 950 milhões de dólares contra três proeminentes fabricantes de painéis solares chineses — as mesmas empresas que os membros diretores em falência da Solyndra processaram ainda naquele ano alegando tentativa de monopolização, conspiração e preços predatórios. Mas a competição dos fabricantes chineses foi realmente impossível de prever? Os empresários da tecnologia limpa deveriam ter reformulado a pergunta da durabilidade, perguntando: o que impedirá que a China elimine o meu negócio? Sem uma resposta, o resultado não deveria ter sido uma surpresa.

Além da incapacidade de prever a concorrência na fabricação dos mesmos produtos verdes, a tecnologia limpa adotou pressupostos equivocados sobre o mercado de energia como um todo. Uma indústria que tinha por premissa o suposto ocaso dos combustíveis fósseis foi pega de surpresa pelo surgimento do fraturamento hidráulico. Em 2000, apenas 1,7% do gás natural norte-americano veio do xisto obtido pelo fraturamento. Cinco anos depois, aquela cifra subira para 4,1%. Não obstante, ninguém na tecnologia limpa levou aquela tendência a sério: a energia renovável era o único caminho possível. Os combustíveis fósseis não *poderiam* ficar mais baratos ou limpos no futuro. Mas ficaram. Em 2013, o gás de xisto representava 34% do gás natural norte-americano, e os preços do gás haviam caído mais de 70% desde 2008, devastando a maioria dos modelos de negócios de energia renovável. O fraturamento pode não ser nem sequer uma solução energética durável, mas foi suficiente para condenar as empresas de tecnologia limpa que não viram sua chegada.

A PERGUNTA SOBRE O SEGREDO

Toda empresa de tecnologia limpa se justificou com verdades convencionais sobre a necessidade de um mundo mais limpo. Elas se iludiram ao acreditar que uma necessidade social avassaladora por soluções energéticas alternativas implicava uma oportunidade de negócio dessa mesma intensidade para todo tipo de empresa de tecnologia limpa. Vejamos quão convencional se tornou em 2006 ser otimista sobre a energia solar. Naquele ano, o presidente George W. Bush anunciou um futuro de "telhados solares que permitirão às famílias norte-americanas gerarem sua própria eletricidade". O investidor e executivo em tecnologia limpa, Bill Gross, declarou que o "potencial da energia solar é enorme". Suvi Sharma, então CEO da fabricante de painéis solares Solaria, admitiu que embora "exista uma sensação de corrida do ouro" em relação à energia solar, "existe também ouro real aqui — ou, no nosso caso, luz solar". Mas correr para adotar a convenção enviou rapidamente dezenas de empresas de painéis solares — Q--Cells, Evergreen Solar, SpectraWatt e a própria Energy Innovations de Gross — de um início promissor ao tribunal de falências. Cada uma das baixas havia descrito seus futuros brilhantes em termos de convenções óbvias sobre as quais todos concordavam. Grandes empresas têm segredos: razões específicas para o sucesso que outras pessoas não veem.

O MITO DO EMPREENDEDORISMO SOCIAL

Os empresários da tecnologia limpa almejavam mais do que o mero sucesso como definido pela maioria das empresas. A bolha da tecnologia limpa foi o maior fenômeno — e o maior fracasso — da história do "empreendedorismo social". Essa abordagem filantrópica dos negócios parte da ideia de que as grandes empresas e as organizações não lucrativas até agora eram diametralmente opostas: as primeiras são poderosas, mas estão presas à motivação do lucro; e as organizações não lucrativas buscam o interesse público, mas são *players* fracos na economia maior. Os empresários sociais buscam combinar o melhor dos dois mundos e "ter êxito fazendo o bem". Acabam não conseguindo nem uma coisa, nem outra.

A ambiguidade entre metas sociais e financeiras não ajuda. Mas a ambiguidade da palavra "social" é ainda mais problemática: se algo é "socialmente bom", é bom *para* a sociedade ou meramente *visto* como bom *pela* sociedade? O que quer que seja bom o suficiente para ser aplaudido por todos os públicos só pode ser convencional, como a ideia geral da energia verde.

O progresso não é detido por alguma diferença entre a ganância corporativa e a benevolência das organizações não lucrativas. Pelo contrário, somos detidos pela semelhança das duas. Assim como as grandes empresas tendem a copiar umas às outras, as organizações não lucrativas tendem a perseguir as mesmas prioridades. A tecnologia limpa mostra o resultado: centenas de produtos indiferenciados em nome de uma meta pouco específica.

Fazer algo *diferente* é o que realmente beneficia a sociedade — e é também o que permite a uma empresa lucrar monopolizando um mercado novo. Os melhores projetos tendem a ser ignorados, não alardeados por uma multidão. Os melhores problemas com os quais lidar costumam ser aqueles que ninguém mais tenta resolver.

TESLA: SETE POR SETE

A Tesla é uma das poucas empresas de tecnologia limpa criadas na última década que prosperam hoje. Ela surfou na onda social da tecnologia limpa melhor do que ninguém, mas acertou nas sete perguntas, de modo que seu sucesso é instrutivo:

TECNOLOGIA. A tecnologia da Tesla é tão boa que outras montadoras de carro confiam nela: a Daimler usa as baterias da Tesla; a Mercedes-Benz usa um trem de força da Tesla; a Toyota usa um motor da Tesla. A General Motors chegou a criar uma força-tarefa para rastrear os próximos avanços da Tesla. Mas a maior realização tecnológica da Tesla não é uma peça ou um componente isolado, mas sua capacidade de integrar vários componentes em um produto superior. O sedan Modelo S da Tesla, elegantemente projetado de uma ponta à outra, é mais do que a soma de suas partes: a *Consumer Reports* considerou-o superior a qualquer outro carro já examinado, e as revistas *Motor Trend* e *Automobile* o consideraram o Carro do Ano de 2013.

MOMENTO CERTO. Em 2009, era fácil achar que o governo continuaria apoiando a tecnologia limpa: "Empregos verdes" eram uma prioridade política, recursos federais já estavam alocados e o Congresso parecia que aprovaria uma legislação de incentivos à redução da emissão de poluentes. Mas onde os outros viram subsídios generosos que poderiam fluir indefinidamente, o CEO Elon Musk da Tesla viu corretamente uma oportunidade única. Em janeiro de 2010 — cerca de um ano e meio antes da implosão da Solyndra sob o governo Obama, politizando a questão dos subsídios — a Tesla assegurou um empréstimo de 465 milhões de dólares do Departamento de Energia norte-americano. Um subsídio de meio bilhão de dólares era impensável em meados da década de 2000. É impensável hoje. Houve um só momento em que isso foi possível, e a Tesla aproveitou-o perfeitamente.

MONOPÓLIO. A Tesla começou com um minúsculo submercado que podia dominar: o mercado de carros esportivos elétricos sofisticados. Desde que o primeiro Roadster saiu da linha de produção em 2008, a Tesla vendeu apenas uns 3 mil deles, mas a 109 mil dólares cada isso não é trivial. Começar pequena permitiu à Tesla realizar a P&D necessárias para desenvolver o ligeiramente menos caro Modelo S, e agora a Tesla domina o mercado de sedans elétricos de luxo também. Ela vendeu mais de 20 mil sedans em 2013, e agora a Tesla está numa posição favorável para se expandir em mercados maiores no futuro.

EQUIPE. O CEO da Tesla é o perfeito engenheiro *e* vendedor, de modo que não surpreende que tenha reunido uma equipe exímia nas duas coisas. Elon descreve sua equipe nestes termos: "Se você está na Tesla, está optando por estar no equivalente às Forças Especiais. Existe o exército regular, e tudo bem, mas se você está trabalhando na Tesla, está optando por aperfeiçoar sua técnica."

DISTRIBUIÇÃO. A maioria das empresas subestima a distribuição, mas a Tesla a levou tão a sério que decidiu possuir a rede de distribuição inteira. Outras montadoras estão comprometidas com concessionárias independentes: a Ford e a Hyundai montam carros, mas dependem de outras pessoas para vendê-los. A Tesla vende e faz a manutenção de seus veículos em suas próprias lojas. Os custos iniciais da abordagem da Tesla são bem superiores à distribuição pelas concessionárias tradicionais, mas permite o controle sobre a experiência do cliente, fortalece a marca e faz a empresa poupar dinheiro no longo prazo.

DURABILIDADE. A Tesla tem uma vantagem inicial e está progredindo mais rápido do que qualquer outra — essa combinação significa que sua liderança deverá se ampliar nos próximos anos. Uma marca cobiçada é o sinal mais claro da revolução da Tesla: um carro é uma das maiores decisões de compra que as pessoas fazem na vida, e a confiança dos consumidores nessa categoria é difícil de conquistar. E, ao contrário das demais montadoras, na Tesla o fundador ainda está no comando, de modo que ela não vai esmorecer tão cedo.

SEGREDOS. A Tesla sabia que o modismo impeliu o interesse na tecnologia limpa. Especialmente as pessoas ricas queriam parecer "verdes", ainda que significasse dirigir um Prius quadradão ou um Honda Insight feioso. Aqueles carros só faziam os motoristas parecerem descolados por associação com os famosos astros do cinema ecoconscientes que também os possuíam. Então a Tesla decidiu produzir carros que fizessem os motoristas parecerem cool, e ponto final — Leonardo DiCaprio até abandonou seu Prius por um caro Tesla Roadster (e de aparência cara). Enquanto as empresas de tecnologia limpa genéricas lutavam por se diferenciar, a Tesla desenvolveu uma marca única em torno do segredo de que a tecnologia, mais do que um imperativo ambiental, era um fenômeno social.

ENERGIA 2.0

O sucesso da Tesla prova que não havia nada de inerentemente errado com a tecnologia limpa. A maior ideia por trás dela estava certa: o mundo realmente precisará de novas fontes de energia. A energia é o recurso principal: é como nos alimentamos, construímos abrigos e produzimos todo o necessário para viver com conforto. A maior parte do mundo sonha em viver com o mesmo conforto dos norte-americanos hoje, e a globalização criará desafios energéticos cada vez maiores, a não ser que desenvolvamos uma tecnologia nova. Simplesmente não existem recursos suficientes no mundo para replicar as velhas abordagens ou redistribuir nossa forma de prosperidade.

A tecnologia limpa deu às pessoas um motivo de otimismo quanto ao futuro da energia. Mas quando investidores indefinidamente otimistas, apostando na ideia geral da energia verde, financiaram empresas de tecnologia limpa que careciam de planos de negócios específicos, o resultado foi uma bolha. Trace o gráfico da valorização das empresas de energia alternativa na década de 2000 com a ascensão e queda do Nasdaq uma década antes, e você verá a mesma forma:

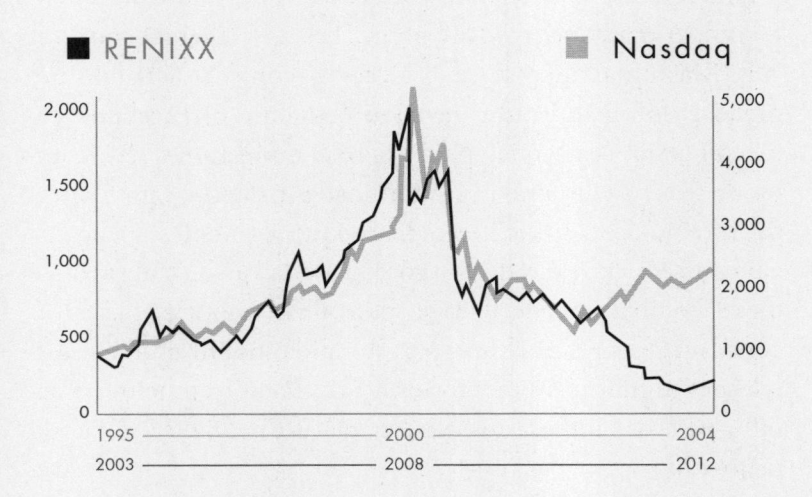

A década de 1990 teve uma grande ideia: *a internet vai ser algo grande.* Mas muitas empresas da internet tiveram exatamente a mesma ideia e nenhuma outra. Um empresário não pode se beneficiar de uma ideia de macroescala sem que seus próprios planos comecem na microescala. As empresas da tecnologia limpa enfrentaram o mesmo problema: por mais que o mundo precise de energia, somente uma empresa que ofereça uma solução superior para um problema específico de energia poderá ganhar dinheiro. Nenhum setor jamais será tão importante que bastará participar dele para formar uma grande empresa.

A bolha tecnológica foi bem maior que a da tecnologia limpa, e o colapso, ainda mais doloroso. Mas o sonho da década de 1990 revelou-se certo: os céticos que duvidaram de que a internet mudaria fundamentalmente a indústria editorial, as vendas varejistas ou a vida social diária pareciam visionários em 2001, mas parecem comicamente tolos hoje. Startups de energia bem-sucedidas poderiam ser fundadas após o crash da tecnologia limpa, assim como as startups da Web 2.0 foram lançadas com sucesso em meio aos escombros das pontocom? A macronecessidade por soluções de energia continua real. Mas uma empresa valiosa precisa começar achando um nicho e dominando um mercado pequeno. O Facebook começou como um serviço para um só campus universitário antes de se espalhar para outras faculdades e depois para o mundo inteiro. Encontrar mercados pequenos para soluções de energia será complicado — você poderia querer substituir o diesel como fonte de energia para ilhas remotas, ou talvez construir reatores nucleares para a rápida mobilização em instalações militares em territórios hostis. Paradoxalmente, o desafio para os empresários que criarão a Energia 2.0 é pensar pequeno.

14

O PARADOXO
DO FUNDADOR

Das seis pessoas que criaram o PayPal, quatro haviam construído bombas no colégio.

Cinco tinham apenas 23 anos — ou menos. Quatro de nós haviam nascido fora dos Estados Unidos. Três haviam fugido de países comunistas: Yu Pan da China, Luke Nosek da Polônia e Max Levchin da Ucrânia Soviética. Construir bombas não era o que crianças normalmente faziam naqueles países naquele tempo.

Nós seis podíamos ser vistos como excêntricos. Minha primeira conversa com Luke foi sobre como ele acabara de se candidatar à criônica: ser congelado após morrer na esperança de uma ressurreição médica. Max alegava não ter um país e se orgulhava daquilo: sua família foi posta no limbo diplomático quando a União Soviética desmoronou enquanto estavam fugindo para os Estados Unidos. Russ Simmons fugira de uma área de trailers para a melhor escola especial de matemática e ciência em Illinois. Apenas Ken Howery encaixava-se no estereótipo de uma infância americana privilegiada: o único escoteiro águia do PayPal. Mas os colegas de Kenny acharam que ele era louco por se juntar ao resto de nós ganhando apenas um terço do salário que lhe foi oferecido por um grande banco. De modo que nem ele era inteiramente normal.

A equipe do PayPal em 1999

Todos os fundadores são pessoas incomuns? Ou tendemos a lembrar e exagerar o que há de mais incomum neles? Mais importante, quais traços pessoais realmente importam em um fundador? Este capítulo é sobre por que é mais eficaz, mas também mais perigoso, uma empresa ser liderada por um indivíduo singular, em vez de um gerente intercambiável.

O MOTOR DA DIFERENÇA

Algumas pessoas são fortes, outras são fracas, algumas são geniais, outras são estúpidas — mas a maioria das pessoas está no meio. Represente graficamente onde cada um se enquadra, e você verá uma curva em sino:

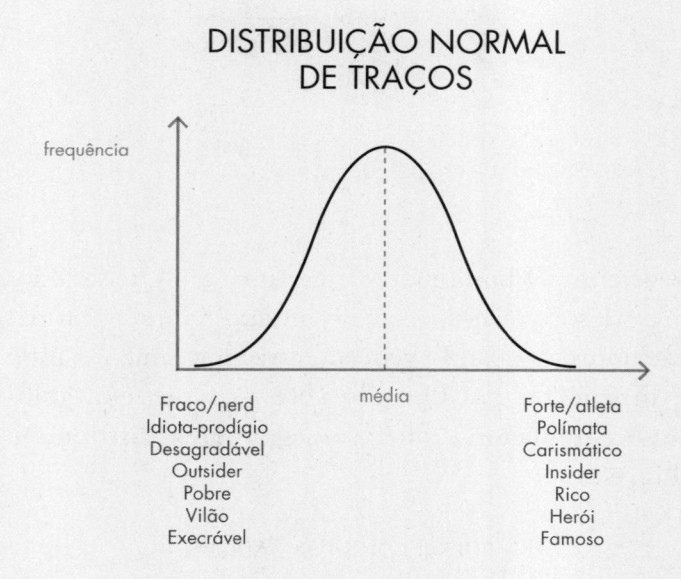

DISTRIBUIÇÃO NORMAL DE TRAÇOS

frequência

média

Fraco/nerd
Idiota-prodígio
Desagradável
Outsider
Pobre
Vilão
Execrável

Forte/atleta
Polímata
Carismático
Insider
Rico
Herói
Famoso

Já que tantos fundadores parecem ter traços extremos, você imaginaria que um gráfico mostrando traços apenas de fundadores teria caudas mais pesadas, com mais pessoas nas duas extremidades.

Mas isso não capta o fato mais estranho sobre os fundadores. Em geral esperamos que traços opostos sejam mutuamente exclusivos: uma pessoa normal não pode ser rica e pobre ao mesmo tempo, por exemplo. Mas isso acontece o tempo todo com fundadores: CEOs de startups podem ser pobres em dinheiro vivo, mas milionários no papel. Podem

DISTRIBUIÇÃO DE CAUDA PESADA

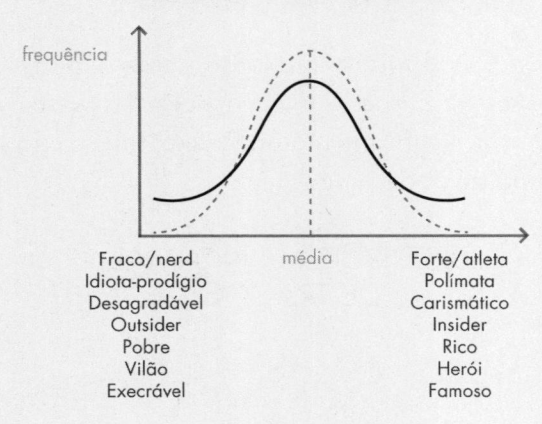

oscilar entre o mal-humorado e o carismático. Quase todos os empresários de sucesso estão ao mesmo tempo enturmados e excluídos. E quando vencem, atraem a fama e a infâmia ao mesmo tempo. Quando você os representa graficamente, os fundadores parecem seguir uma distribuição normal inversa:

A DISTRIBUIÇÃO DOS FUNDADORES

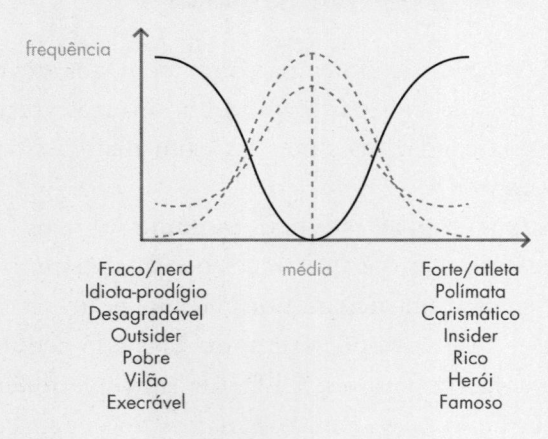

De onde vem essa combinação de traços estranha e extrema? Poderiam estar presentes desde o nascimento (natureza) ou ter sido adquiridos do ambiente do indivíduo (criação). Mas talvez os fundadores não sejam realmente tão extremos como se afiguram. Será que estrategicamente exageram certas qualidades? Ou será possível que todos os outros os exageram? Todos esses efeitos podem estar presentes ao mesmo tempo, e sempre que estão se reforçam poderosamente. O ciclo costuma começar com pessoas incomuns e termina com elas agindo e parecendo ainda mais assim:

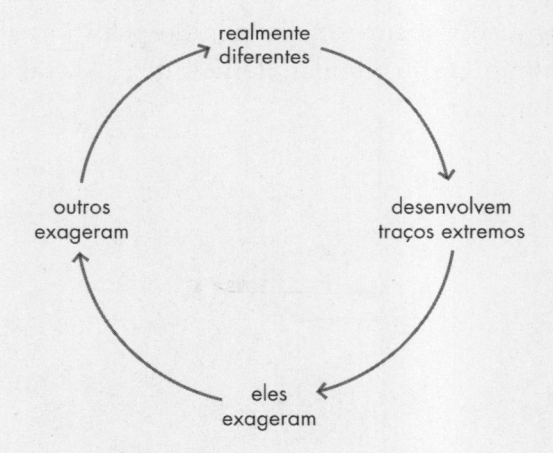

Como um exemplo, tomemos Sir Richard Branson, o bilionário fundador do Virgin Group. Ele poderia ser descrito como um empresário natural: Branson começou seu primeiro negócio aos 16 anos e com apenas 22 fundou a Virgin Records. Mas outros aspectos de sua fama — o cabelo juba de leão característico, por exemplo — são menos naturais: suspeita-se de que ele não nasceu exatamente com essa aparência. Conforme Branson cultivava seus outros traços extremos (*Kiteboarding* com supermodelos nuas é uma façanha de relações públicas? Um sujeito apenas se divertindo? Ambas as coisas?), a mídia avidamente o entronizava: Branson é "O Rei da Virgin", "O Rei Indiscutível das Relações Públicas", "O Rei do *Branding*" e "O Rei do Deserto e do Espaço". Quando a Virgin Atlantic Airways começou a servir aos passageiros drinques com pedras de gelo em forma do rosto de Branson, ele se tornou "O Rei do Gelo".

Será Branson apenas um homem de negócios normal que por acaso é tratado como celebridade pela mídia com a ajuda de uma boa equipe de RP? Ou será um gênio inato do *branding* justificadamente distinguido pelos jornalistas que é tão exímio em manipular? Difícil dizer — talvez seja as duas coisas.

Outro exemplo é Sean Parker, que começou com o definitivo status dos excluídos: criminoso. Sean foi um hacker meticuloso na escola. Mas seu pai concluiu que Sean vinha passando tempo demais no computador para um jovem de 16 anos e um dia se apossou do teclado dele. Sean não conseguiu fazer o logout. O FBI notou. Logo agentes federais vieram prendê-lo.

Sean safou-se facilmente por ser menor de idade. No mínimo o episódio o encorajou. Três anos depois, foi um dos fundadores do Napster. O serviço de compartilhamento de arquivos peer-to-peer acumulou 10 milhões de usuários no primeiro ano, tornando-se um dos negócios de maior crescimento de todos os tempos. Mas as gravadoras moveram processo, e um juiz federal ordenou seu fechamento vinte meses depois de sua criação. Após um período vertiginoso no centro, Sean voltou a ser um excluído.

Em seguida veio o Facebook. Sean conheceu Mark Zuckerberg em 2004, ajudou a negociar o primeiro financiamento do Facebook e tornou-se o presidente fundador da empresa. Teve de se afastar em 2005 em meio a alegações de uso de drogas, mas aquilo apenas realçou sua notoriedade. Depois que Justin Timberlake o interpretou no filme *A rede social*, Sean tem sido percebido como uma das pessoas mais cool dos Estados Unidos. JT é ainda mais famoso, mas quando visita o Vale do Silício, as pessoas perguntam se ele é Sean Parker.

As pessoas mais famosas do mundo são também fundadoras: em vez de uma empresa, cada celebridade funda e cultiva uma marca pessoal. Lady Gaga, por exemplo, tornou-se uma das pessoas vivas mais influentes. Mas será que ela é uma pessoa real? Seu nome real não é segredo, mas quase ninguém sabe ou se importa em saber. Seus figurinos são tão bizarros que outra pessoa que os usasse correria o risco de ser internada num hospício. Lady Gaga gostaria que você acreditasse que ela "nasceu deste jeito" — *Born This Way* [Nascida deste jeito] é o

título de seu segundo álbum e de sua faixa principal. Mas ninguém nasce parecendo um zumbi com chifres brotando da cabeça: Gaga deve portanto ser um mito autofabricado. De novo, qual tipo de pessoa faria isso consigo? Certamente ninguém normal. Então talvez Gaga realmente *tenha* nascido desse jeito.

DE ONDE VÊM OS REIS

Figuras extremas de fundadores não são novidade nos assuntos humanos. A mitologia clássica está cheia delas. Édipo é o insider/outsider paradigmático: ele foi abandonado quando criança e foi parar em uma terra estrangeira, mas foi um rei brilhante e suficientemente inteligente para decifrar o enigma da Esfinge.

Rômulo e Remo nasceram de sangue real e foram abandonados como órfãos. Quando descobriram sua linhagem, decidiram fundar uma cidade. Mas não conseguiram concordar sobre onde situá-la. Quando Remo transpôs o limite imposto por Rômulo para Roma, este o matou, declarando: "Assim pereça qualquer outro que, a partir de agora, saltar minhas muralhas." Legislador *e* transgressor da lei, criminoso *e* rei que definiu Roma, Rômulo foi um insider/outsider autocontraditório.

As pessoas normais não são como Édipo ou Rômulo. Seja como esses indivíduos foram realmente na vida, sua versão transformada em mito relembra apenas os extremos. Mas por que era tão importante às culturas arcaicas lembrarem pessoas extraordinárias?

Os famosos e execráveis sempre serviram de alvo do sentimento público: são elogiados em meio à prosperidade e culpados pelo infortúnio. As sociedades primitivas enfrentavam um problema fundamental acima de todos: seriam dilaceradas pelo conflito se não tivessem um meio de detê-lo. Assim, sempre que pestes, desastres ou rivalidades violentas ameaçavam a paz, era benéfico à sociedade lançar a culpa inteira em uma só pessoa, alguém com quem todos concordassem: um bode expiatório.

Quem constitui um bode expiatório eficaz? À semelhança dos fundadores, os bodes expiatórios são figuras extremas e contraditórias. Por um lado, um bode expiatório é necessariamente fraco; ele é impotente para deter sua própria vitimização. Por outro, como aquele capaz de acalmar o conflito recebendo a culpa, é o membro mais poderoso da comunidade.

Antes da execução, os bodes expiatórios costumavam ser adorados como divindades. Os astecas consideravam suas vítimas formas terrenas dos deuses por quais eram sacrificadas. Você seria trajado com roupas finas e banquetearia feito um rei antes que terminasse seu breve reinado e arrancassem seu coração. Essas são as raízes da monarquia: cada rei era um deus vivo, e cada deus um rei assassinado. Talvez cada rei moderno não passe de um bode expiatório que conseguiu adiar sua própria execução.

REALEZA AMERICANA

Celebridades são supostamente a "realeza". Chegamos a conceder títulos aos nossos artistas favoritos: Elvis Presley foi o rei do rock. Michael Jackson foi o rei do pop. Britney Spears foi a princesa do pop.

Até não serem mais. Elvis se autodestruiu na década de 1970 e morreu solitário, obeso, sentado na sua privada. Atualmente, seus imitadores são gordos e rudes, não esguios e charmosos. Michael Jackson foi de um astro infantil adorado para uma sombra instável de seu antigo eu, fisicamente repulsivo e viciado em drogas. O mundo se deleitava com os detalhes de seus julgamentos. A história de Britney é a mais dramática. Nós a criamos do nada, elevando-a ao superestrelato quando adolescente. Mas aí tudo descarrilhou: veja sua cabeça raspada, seus distúrbios alimentares e o altamente divulgado processo judicial para se retirar a guarda dos seus filhos. Ela sempre foi um pouco maluca? Foi produto da publicidade? Ou ela fez tudo aquilo para obter mais publicidade?

Para alguns dos astros decadentes, a morte traz a ressurreição. Tantos músicos populares morreram aos 27 anos — Janis Joplin, Jimi Hendrix, Jim Morrison e Kurt Cobain, por exemplo — que esse conjunto se imortalizou como o "Clube dos 27". Antes de aderir ao Clube em 2011, Amy Winehouse cantou: "They tried to make me go to rehab but I said, 'No, no, no'."* Talvez a reabilitação parecesse tão pouco atraente por bloquear o caminho à imortalidade. Talvez a única forma de ser um deus do rock para sempre seja morrer em idade prematura.

---

* "Tentaram me mandar para a reabilitação, mas eu disse: 'Não, não, não'".

Alternadamente veneramos e desprezamos os fundadores da tecnologia tanto quanto as celebridades. A curva de Howard Hughes da fama à compaixão é a mais dramática de qualquer fundador de tecnologia do século XX. Ele nasceu rico, mas sempre se interessou mais por engenharia do que pelo luxo. Montou o primeiro transmissor de rádio de Houston aos 11 anos. No ano seguinte montou a primeira motocicleta da cidade. Aos 30 anos realizara nove filmes comerciais de sucesso numa época em que Hollywood estava na vanguarda tecnológica. Mas Hughes ficou ainda mais famoso por sua carreira paralela em aviação. Ele projetou aviões, produziu-os e pilotou-os pessoalmente. Hughes bateu recordes mundiais de velocidade aérea, voo transcontinental mais rápido e voo mais rápido ao redor do mundo.

Hughes estava obcecado em voar mais alto do que qualquer outro. Gostava de lembrar às pessoas de que era um mero mortal, não um deus grego — algo que os mortais dizem somente quando querem ser comparados aos deuses. Hughes foi "um homem ao qual você não pode aplicar os mesmos padrões que aplicaria a mim e a você", seu advogado certa vez argumentou numa corte federal. Hughes pagou ao advogado para dizer aquilo, mas de acordo com o *New York Times* não houve "nenhuma contestação daquela afirmação por parte do juiz ou júri". Quando Hughes recebeu a Meda-

lha de Ouro do Congresso em 1939 pelas realizações na aviação, nem sequer compareceu para recebê-la — anos depois o
presidente Truman encontrou-a na Casa Branca e a enviou
pelo correio.

O início do fim de Hughes adveio em 1946, quando
ele sofreu seu terceiro e pior desastre de avião. Se tivesse
morrido então, teria sido lembrado para sempre como um
dos norte-americanos mais intensos e bem-sucedidos de todos os tempos. Mas ele sobreviveu — por pouco. Tornou-se
obsessivo-compulsivo, viciou-se em analgésicos e passou os
trinta anos seguintes de sua vida em confinamento solitário
autoimposto. Hughes sempre agira meio loucamente, sob o
pressuposto de que menos pessoas iriam querer incomodar
uma pessoa maluca. Mas quando suas ações doidas se trans-
formaram em uma vida doida, tornou-se objeto de pena,
tanto quanto de respeito.

Mais recentemente, Bill Gates mostrou como o sucesso altamente visível consegue atrair ataques altamente focados. Gates corporificava o arquétipo do fundador: era simultaneamente um outsider nerd e desajeitado que abandonou a faculdade e o insider mais rico do mundo. Ele escolheu seus óculos de nerd estrategicamente para criar uma imagem própria? Ou, sendo um nerd incurável, aqueles óculos o escolheram? Difícil saber. Mas seu domínio foi inegável: o Windows da Microsoft conquistou 90% do mercado de sistemas operacionais em 2000. Naquele ano, Peter Jennings pôde plausivelmente indagar: "Quem é mais importante no mundo hoje? Bill Clinton ou Bill Gates? Eu não sei. É uma boa pergunta."

O Departamento de Justiça norte-americano não se limitou a perguntas retóricas, iniciando uma investigação e processando a Microsoft por "conduta anticompetitiva". Em junho de 2000, um tribunal ordenou que a Microsoft fosse dividida. Gates deixara o cargo de CEO da Microsoft seis meses antes, tendo sido forçado a despender a maior parte de seu tempo

respondendo a ameaças legais, em vez de desenvolver novas tecnologias. Uma corte de apelação mais tarde revogou a ordem de
divisão, e a Microsoft obteve um acordo com o governo em
2001. Mas àquela altura os inimigos de Gates já haviam privado
sua empresa do pleno envolvimento de seu fundador, e a Microsoft entrou em uma era de relativa estagnação. Hoje Gates é
mais conhecido como filantropo do que como tecnólogo.

A VOLTA DO REI

Assim como o ataque legal contra a Microsoft estava encerran-
do o domínio de Bill Gates, a volta de Steve Jobs à Apple demonstrou o valor insubstituível do fundador de uma empresa.
Em certos aspectos, Steve Jobs e Bill Gates eram opostos. Jobs
era um artista, preferia sistemas fechados e passava seu tempo
pensando sobre ótimos produtos acima de tudo. Gates era um
homem de negócios, mantinha seus produtos abertos e queria
dirigir o mundo. Mas ambos eram insider/outsider e impeli-
ram as empresas que fundaram para realizações que ninguém
mais teria sido capaz de igualar.

Um indivíduo que abandonou a faculdade, andava des-
calço e não gostava de tomar banho, Jobs foi também o insider
de seu próprio culto à personalidade. Conseguia agir de forma
carismática ou maluca, talvez de acordo com seu estado de
ânimo ou com seus cálculos. Difícil acreditar que hábitos estranhos como dietas só de maçãs não fizessem parte de uma
estratégia maior. Mas toda essa excentricidade se voltou contra
ele próprio em 1985: o conselho diretor da Apple expulsou
Jobs de sua própria empresa quando ele entrou em conflito
com o CEO profissional convidado para fornecer uma supervisão adulta.

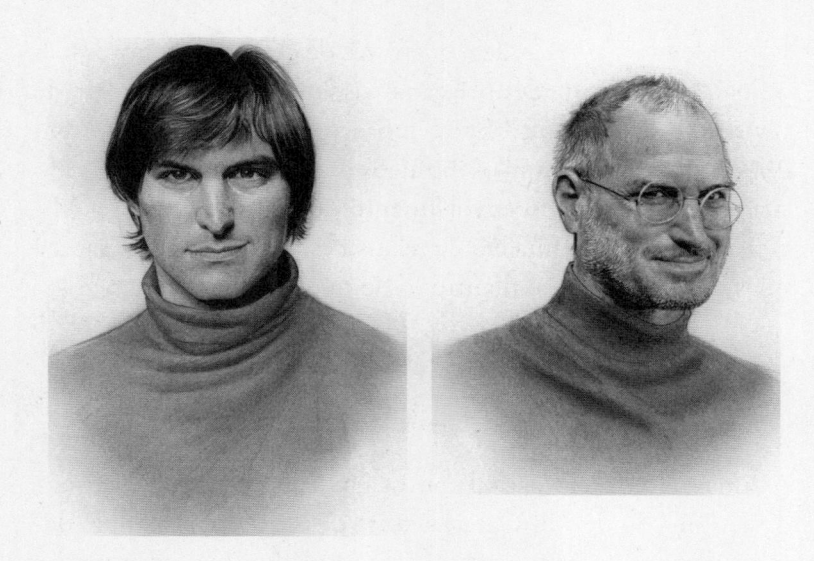

O retorno de Jobs à Apple doze anos depois mostra como a tarefa mais importante nos negócios — a criação de valor novo — não pode ser reduzida a uma fórmula e aplicada por profissionais. Quando ele foi contratado como CEO interino da Apple em 1997, os executivos com credenciais impecáveis que o precederam haviam conduzido a empresa quase à falência. Naquele ano, Michael Dell fez esta afirmação famosa sobre a Apple: "O que eu faria? Eu a fecharia e devolveria o dinheiro aos acionistas." Em vez disso, Jobs lançou o iPod (2001), o iPhone (2007) e o iPad (2010) antes de renunciar em 2011 por problemas de saúde. No ano seguinte, a Apple era a empresa mais valiosa do mundo.

O valor da Apple dependia crucialmente da visão brilhante de uma pessoa específica. Isso indica a forma estranha como as empresas criadoras de nova tecnologia com frequência se assemelham às monarquias feudais, e não a organizações supostamente "modernas". Um fundador brilhante pode tomar decisões confiáveis, inspirar uma forte fidelidade pessoal e planejar à frente por décadas. Paradoxalmente, as burocracias impessoais equipadas com profissionais treinados podem durar mais do que qualquer vida individual, mas costumam agir com horizontes de curto prazo.

A lição para os negócios é que precisamos de fundadores. No mínimo, deveríamos ser mais tolerantes com fundadores que pareçam estranhos ou extremos. Precisamos de indivíduos incomuns para liderar as empresas além do mero incrementalismo.

A lição para os fundadores é que proeminência individual e adulação só podem ser desfrutadas sob a condição de que possam ser trocadas pela notoriedade individual e demonização a qualquer momento — portanto tenha cuidado.

Acima de tudo, não superestime seu próprio poder como indivíduo. Os fundadores são importantes não por serem os únicos cujo trabalho tem valor, mas porque um grande fundador consegue extrair o melhor trabalho de todos em sua empresa. O fato de precisarmos de fundadores individuais com toda sua peculiaridade não significa que devamos venerar os "líderes influentes" de Ayn Rand* que alegam ser independentes de todos à sua volta. Nesse aspecto, Rand foi uma escritora apenas semigrande: seus vilões foram reais, mas seus heróis foram falsos. Não existe Galt's Gulch.** Não há secessão da sociedade. Acreditar-se investido da autossuficiência divina não é a marca de um indivíduo forte, mas de uma pessoa que confundiu a adoração da multidão — ou seu escárnio — com a verdade. O maior perigo individual para um fundador é convencer-se tanto de seu próprio mito a ponto de enlouquecer. Mas um perigo igualmente insidioso para qualquer empresa é perder toda sensação de mito e confundir desencanto com sabedoria.

---

* Ayn Rand foi uma escritora e filósofa norte-americana que desenvolveu um sistema filosófico denominado Objetivismo. (N. T.)

** Localidade no romance de Rand de 1957, *A revolta de Atlas*. (N. T.)

ESTAGNAÇÃO OU SINGULARIDADE?

Se mesmo os fundadores mais prescientes não conseguem planejar além de vinte ou trinta anos à frente, existe algo a dizer sobre o futuro remoto? Não sabemos nada de específico, mas podemos discernir os contornos mais amplos. O filósofo Nick Bostrom descreve quatro padrões possíveis para o futuro da humanidade.

Os antigos viam toda a história como uma alternância incessante entre prosperidade e ruína. Só recentemente as pessoas ousaram esperar que pudéssemos escapar permanentemente do infortúnio, e ainda é possível indagar se a estabilidade a que nos habituamos perdurará.

No entanto, geralmente suprimimos nossas dúvidas. O pensamento convencional parece pressupor, em vez disso, que o mundo inteiro convergirá para um platô de desenvolvimento semelhante à vida dos países mais ricos hoje. Nesse cenário, o futuro parecerá muito com o presente.

COLAPSO RECORRENTE

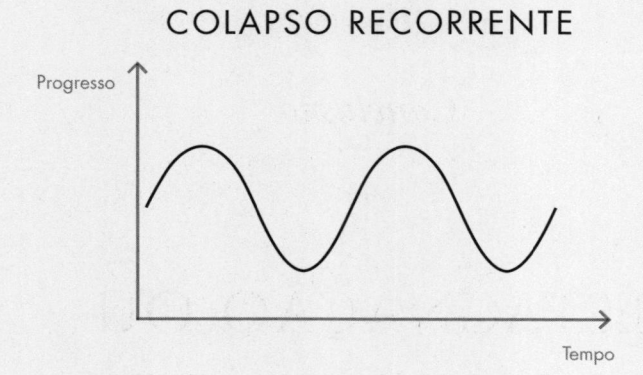

PLATÔ

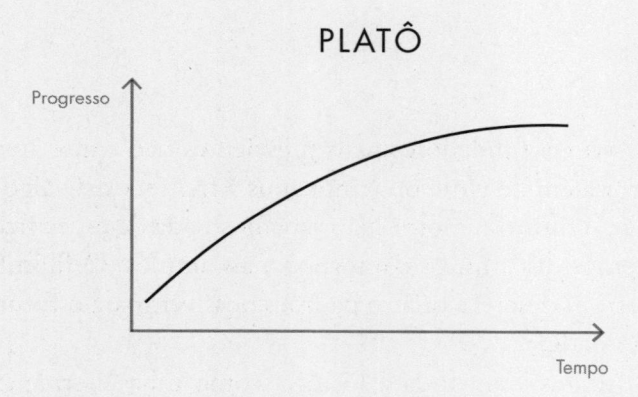

Dada a geografia interconectada do mundo contemporâneo e o poder destrutivo sem precedentes do armamento moderno, é difícil não perguntar se um desastre social em larga escala poderia ser contido caso viesse a ocorrer. É isso que alimenta nossos temores de um terceiro cenário possível: um colapso tão devastador que não sobreviveremos.

EXTINÇÃO

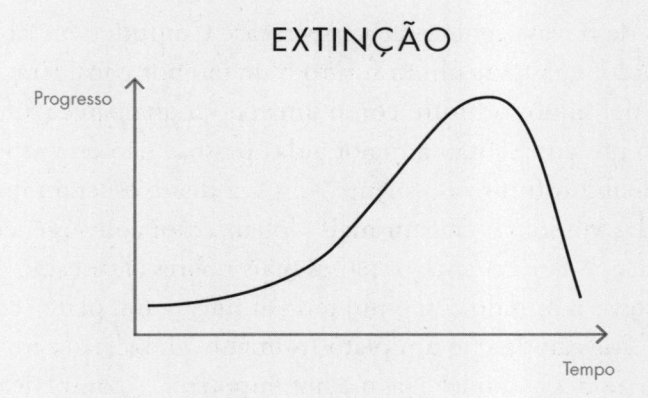

A última das quatro possibilidades é a mais difícil de imaginar: uma decolagem acelerada rumo a um futuro bem melhor. O resultado final de tal avanço poderia assumir uma série de formas, mas qualquer uma diferiria tanto do presente que descrevê-la é um desafio.

DECOLAGEM

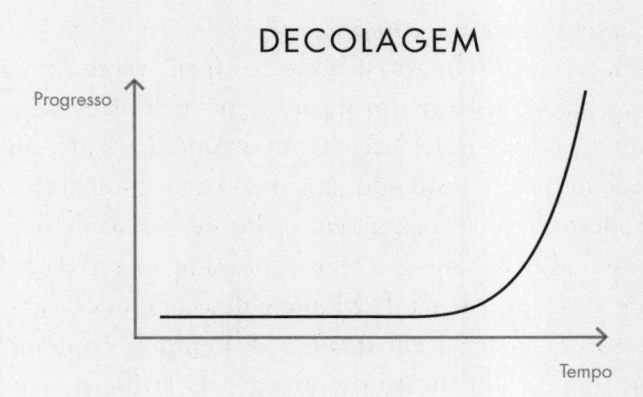

Qual dos quatro cenários ocorrerá?

O colapso recorrente parece improvável: os conhecimentos subjacentes à civilização são tão generalizados hoje que o aniquilamento completo seria mais provável do que um longo período de trevas seguido da recuperação. Contudo, em caso de extinção, não há nenhum futuro humano por considerar.

Se definimos o futuro como uma época que parece diferente do presente, então a maioria das pessoas não está esperando nenhum futuro realmente. Em vez disso, esperam que as décadas vindouras tragam mais globalização, convergência e mesmice. Nesse cenário, os países mais pobres alcançarão os mais ricos, e o mundo como um todo alcançará um platô econômico. Mas ainda que um platô realmente globalizado fosse possível, poderia durar? Na melhor hipótese, a competição econômica seria mais intensa do que nunca antes para cada pessoa e empresa individual no planeta.

Porém, quando se acrescenta a competição para consumir recursos escassos, fica difícil ver como um platô global poderia durar indefinidamente. Sem tecnologias novas para aliviar as pressões competitivas, a estagnação provavelmente estourará em conflito. Em caso de conflito em escala global, a estagnação descamba na extinção.

Resta portanto o quarto cenário, no qual criamos novas tecnologias para construir um futuro bem melhor. A versão mais dramática desse desenlace chama-se Singularidade, uma tentativa de nomear o resultado imaginado de tecnologias novas tão poderosas que transcendem os limites atuais de nossa compreensão. Ray Kurzweil, o mais conhecido adepto da Singularidade, começa pela lei de Moore e detecta tendências de crescimento exponencial em dezenas de campos, confiantemente projetando um futuro de inteligência artificial sobre--humana. De acordo com Kurzweil, "a Singularidade está próxima", ela é inevitável, e tudo que precisamos fazer é nos prepararmos para aceitá-la.

Mas por mais tendências que possam ser detectadas, o futuro não ocorrerá por si mesmo. O aspecto que a Singularidade teria importa menos que a dura escolha que enfrentamos hoje entre os dois cenários mais prováveis: nada ou algo. Depende de nós. Não podemos aceitar como verdade absoluta que o futuro será melhor, o que significa que precisamos nos esforçar para criá-lo hoje.

Se vamos alcançar a Singularidade em escala cósmica talvez seja menos importante do que aproveitarmos as únicas oportunidades disponíveis de fazer coisas novas em nossas próprias vidas profissionais. Tudo de importante para nós — o universo, o planeta, o país, sua empresa, sua vida e este próprio momento — é singular.

Nossa tarefa hoje é achar meios singulares de criar as coisas novas que tornarão o futuro não apenas diferente, mas melhor — ir de 0 a 1. O primeiro passo essencial é pensar por si mesmo. Somente vendo nosso mundo de uma forma nova, tão estimulante e estranho como era para os antigos que o viram primeiro, podemos recriá-lo e ao mesmo tempo preservá-lo para o futuro.

Agradecimentos

A Jimmy Kaltreider por me ajudar a decidir escrever este livro.

A Rob Morrow, Scott Nolan e Michael Solana por criar as aulas de Stanford, a partir das quais nós começamos.

A Chris Parris-Lamb, Tina Constable, David Drake, Talia Krohn e Jeremiah Hall por nos guiar de forma hábil até a publicação.

A todos na Thiel Capital, Founders Fund, Mithril e a Thiel Foundation por trabalharem duro e de forma inteligente.

Em frente.

Créditos das ilustrações

As ilustrações deste livro foram desenhadas por Matt Buck, baseadas nas seguintes imagens:

Índice

1ª EDIÇÃO [2014] 15 reimpressões

ESTA OBRA FOI COMPOSTA PELA ABREU'S SYSTEM EM ADOBE GARAMOND
E IMPRESSA EM OFSETE PELA LIS GRÁFICA SOBRE PAPEL PÓLEN NATURAL
DA SUZANO S.A. PARA A EDITORA SCHWARCZ EM ABRIL DE 2023